UN NOM
DE TORERO

Luis Sepúlveda

UN NOM
DE TORERO

ROMAN

*Traduit de l'espagnol (Chili)
par François Maspero*

Éditions Métailié

TEXTE INTÉGRAL

TITRE ORIGINAL
Nombre de torero

© Luis Sepúlveda, 1994
by arrangement with Ray-Güde Mertin,
Literarische Agentur

ISBN 2-02-025735-1
(ISBN 2-86424-183-8, 1ʳᵉ publication)

© Éditions Métailié, 1994, pour la traduction française
© Éditions du Seuil, avril 1996, pour la présentation

Le 13 juin 1325, Ibn Batutta quittait Tanger, sa ville natale, pour répondre à son étrange vocation de pèlerin. A partir de ce jour, peut-on lire dans le premier intermède du roman qui suit, il parcourut plus de cent vingt mille kilomètres du monde connu. En chemin, il rencontra trois types de pèlerins : les pieux, les commerçants pacifiques, et ceux qui soupirent en contemplant l'insaisissable horizon marin ; tous sans exception dépendent de la volonté de Dieu et écoutent de préférence la prière du vent. Ibn Batutta comprit alors que les pèlerins et les malheureux qui se perdent en chemin sont « les pièces d'une mosaïque infinie dessinée par la volonté d'Allah ». Après quarante années de marche, notre personnage trouva refuge auprès du sultan de Fez. Là, pendant deux ans, avec l'aide de collaborateurs expérimentés, il travailla à la rédaction d'un livre de navigation et de voyage. En 1369, à l'âge de soixante-quatre ans, une fois son travail de chroniqueur achevé, Ibn Batutta meurt. Son protecteur décide, afin que sa mémoire perdure au long des siècles, de faire frapper en son honneur cent pièces d'or de dix onces chacune. Les pièces devaient être enterrées aux croisées de chemins que le pèlerin avait traversées au cours de sa fatigante et bienheureuse vie. Mais le projet ne put être réalisé, et l'objet unique et pluriel, comme l'air déplacé par l'envol de cent oiseaux, traversa la tourmente de l'histoire. Des cent pièces d'or originales, vingt-sept coulèrent au fond de l'océan du temps et soixante-trois poursuivirent leur route pour, à ce que l'on raconte, arriver

I

jusqu'à nous, où plutôt jusqu'à Isaac Rosenberg, dernier propriétaire du trésor, orfèvre réputé à Brême, mort en 1943 dans un camp de concentration dans les conditions que l'on peut imaginer. Deux ans auparavant, à Berlin, les pièces avaient mystérieusement disparu.

Aux catalogues des musées, dans les rêves des numismates et sur les fichiers des compagnies d'assurance, elles figurent sous le nom de Collection du Croissant de Lune Errant.

En 1941, Hans Hillermann et Ulrich Helm, alors gardiens de la prison berlinoise de Spandau, découvrent puis confisquent à la Gestapo le trésor du XIVᵉ siècle que celle-ci avait volé au juif de Brême. Ils envisagent de fuir le régime nazi et de gagner enfin, eux aussi, leur contrée utopique qu'ils situent, pour des motifs plus proches de l'imagination que de la raison, au sud du Chili, en Terre de Feu. Mais leurs plans, comme les allées d'un jardin, bifurquent l'aventure à peine commencée. Hillermann échappe à l'étau du pouvoir, gagne la destination choisie, change son nom pour celui de Franz Stahl et attendra, pendant de longues années, la venue de son ami. Helm, quant à lui, tombe dans un piège apparemment sans issue : pendant plusieurs années il devra supporter les mauvais traitements de la Gestapo, les soupçons des agents soviétiques, les projets sociaux de la RDA et enfin la conspiration chaotique de ceux qui ont revêtu tous les uniformes de tous les pouvoirs et se transforment, du jour où ils flairent l'effondrement d'un pan de l'histoire, en forces aveugles et mortifères. Le roman de Sepúlveda, il est bon de le rappeler dès à présent, est aussi l'histoire d'une amitié qui, à des kilomètres de distance, finit par être symétrique. Les deux amis sont restés en vie non pour s'emparer de la fortune incertaine du trésor mais pour pouvoir boire, à l'heure de la vieillesse, un bon vin chilien au bout du monde, réalisant ainsi un rêve de jeunesse. Tous deux savaient que perdre est une question de méthode.

Ce côté du roman est un voyage d'hiver inachevé, une partie d'échecs interrompue entre deux maîtres qui jouent par correspondance; du texte s'échappe un peu de l'âme romantique allemande, une délicate variation sur le thème du double et de l'homme confronté à un destin parsemé d'obstacles. Hillermann et Helm savent que ce qui importe n'est pas tant le trésor, ni même la trahison d'espions fugitifs, mais le secret de l'amitié gardé avec une volonté obstinée. Pour les nazis purs et durs, les trésors, la Collection du Croissant de Lune Errant, les pinacothèques des villes conquises, les bijoux des races impures et les secrets industriels étaient une occasion de s'enrichir. Pour ces garçons de Saxe et de Hambourg les pièces d'or justifiaient leur existence car, comme l'écrit un poète italien, une belle mort honore toute une vie.

La narration va et vient d'une troisième personne, qui raconte les aventures précédentes, à une première, qui introduit la force de la subjectivité. Le nouveau titulaire de la parole est un Chilien qui entre dans le récit le jour de son quarante-quatrième anniversaire, alors qu'il croit maîtriser pleinement l'esthétique la plus moderne, celle de la perte. C'est un personnage marqué par l'aventure, qui oscille entre l'internationalisme héroïque et le picaresque, rêve de la révolution latino-américaine continentale, l'entreprend et échoue à Hambourg où il mène une vie spartiate, fréquente des restaurants turcs, travaille comme videur dans une boîte de nuit, connaît un maître-chanteur paralytique, suisse et employé d'une compagnie d'assurance. Il a, au Chili, un passé douloureux et porte le nom d'un torero autrefois célèbre, Juan Belmonte. C'est un personnage qui a voulu changer l'avenir et dont le présent dépend d'un passé condamné au silence. Belmonte est un archétype, toujours en déplacement et en action comme le recommandent les règles du roman noir, le paradigme du guérillero latino-américain partisan de la lutte armée, protagoniste d'une histoire continentale commune et plurielle mais condamné à subsister dans les banlieues des villes européennes gelées. Préparé pour la révolution, il est incapable de vivre dans la paix des vainqueurs. Le personnage, dans le meilleur style des classiques du genre, s'enrichit des histoires passées, véritables *flash-backs*, nouvelles exemplaires, récits dans le récit, où les guérilleros côtoient des trafiquants d'armes, et la répression de la drogue se confond avec les purges idéologiques. Comme si toute réalité dépassait les contradictions de l'histoire et que l'unique art sérieux, au-delà des tableaux volés et des trésors cachés pendant des générations, n'était que l'art de la survie.

Un des grands mérites du roman, en tant que mécanisme, est de se tenir à la croisée de plusieurs histoires destinées à se catapulter, car le narrateur met en mouvement un certain Frank Galinsky, officier des services secrets de l'ex-RDA (tout, dans le livre, a un air de *ex*), reconverti en mercenaire parce que, abandonné par sa femme et méprisé par ses amis, il a compris que dans l'Allemagne réunifiée, il n'y a pas de place pour les perdants.

Soldats inconnus des idéologies, perdants typiques des utopies, Juan Belmonte et Frank Galinsky appartiennent à cette génération contrainte de s'affronter au nom de la ferraille du passé ; ce sont deux chevaliers qui ont perdu jusqu'à l'honneur et qui s'avancent vers leur ultime combat, deux guerriers auxquels on a ôté le sens de l'histoire collective, deux témoins inutiles de rêves anciens, deux vaincus par le nouvel ordre mondial qui s'approche et s'empare de leur morale d'hommes d'armes. Le roman témoigne de ce duel entre deux dinosaures crépusculaires, combat singulier dont le vainqueur est celui qui possède un motif, fragile comme une agonie, mais motif tout de même, pour vouloir vaincre la mort. On peut les considérer comme la synthèse des grands projets qui ébranlèrent le monde. Mais soyons clairs, les itinéraires personnels de

Juan et de Frank ont été conçus par d'autres maîtres et, une fois la défaite consommée, ils transcendent la pure aventure pour acquérir un sens métaphorique et singulier. A un second niveau de lecture, l'Histoire détermine les consciences en même temps que celles-ci façonnent celle-là. Une double perspective qui est ici reprise avec ironie et non sans un certain nihilisme : le personnage au nom de torero, déçu par son passé lié à l'Histoire, ne survit que pour retrouver un épisode personnel, intime, pour prendre une revanche d'antihéros fatigué et exilé dans laquelle la justice n'a pas de place.

Derrière sa vision vertigineuse et morale des faits, Sepúlveda propose un roman d'aventures ni insensées ni dépourvues de référents, un western dans le sud du continent américain où la reconnaissance de paysages grandioses donne toute sa force à une fin minimaliste. Une fin marquée du signe de l'aventure, où les pistes culturelles se rejoignent, où le profil des personnages est dévoilé, où l'intrigue se dénoue dans une tension maximale. Dans ce roman noir, trouble, du moins en ce qui concerne les thèmes traités, les motifs qui animent les personnages ne sont jamais gratuits. *Un nom de torero* est aussi un coup de chapeau à l'esthétique cinématographique, avec un montage digne d'*Indiana Jones*, que le personnage regarde dans l'avion qui le ramène au Chili, avant de se rendre dans le détroit de Magellan, fin tumultueuse du voyage qui verra l'affrontement des personnages sur les lieux mêmes du partage des mers. Le lecteur commence alors son propre voyage vers cet affrontement final, comme qui passe une ultime frontière. C'est là, en Terre de Feu, que se consument toutes les histoires, là qu'Ulrich et Hans ont projeté le rêve qui donne un sens à leur vie de « non-nazis », comme si la pensée classique allemande était enfin réconciliée avec la fin du monde, là que le temps historique semble suspendu et que commence le royaume de l'espace, là que la nuit de l'histoire s'achève pour annoncer une aube nouvelle.

Dans ses romans précédents (*Le Vieux qui lisait des romans d'amour* et *Le Monde du bout du monde*), Sepúlveda avait bâti des histoires inquiétantes qui avaient pour souffle essentiel le paysage, d'abord les profondeurs amazoniennes puis les mers gelées du sud. Dans l'un comme dans l'autre, la nature et les animaux dialoguaient sur le mode de la fable, et l'on remarquait la présence de thèmes actuels, une écriture dépouillée et une intrigue linéaire. Avec *Un nom de torero*, nous assistons à un changement trop visible pour être involontaire, à moins qu'il ne s'agisse d'une halte en chemin, pour revendiquer le pur plaisir de narrer. A partir de la problématique de l'étranger et de l'exil, Sepúlveda s'enfonce dans le roman noir mâtiné de récit d'aventures, un genre revendiqué dès l'exergue, où tout est organisé depuis la présentation des intrigues jusqu'à l'alternance des scènes, où les personnages sont les acteurs d'histoires mineures mais les résidus d'un passé majeur. Le mur de Berlin, au-delà de sa verticalité symbolique, contenait des histoires destinées à franchir l'isolement, mais une fois le rideau levé, une fois ouvertes les écluses de la littérature, toutes les eaux se mêlent. Sepúlveda est un des chroniqueurs de cet étrange magma où affleurent à la fois l'ambition, le pouvoir, la désillusion, les reliefs de croyances passées et une loi selon laquelle la seule histoire valable est celle des sentiments.

Ici l'histoire n'est pas un théâtre mais une arène, et comme dans toute corrida, c'est le sang qui signale la fin du spectacle. Le roman est aussi le roman du retour. Tel un Ulysse de la dite société post-industrielle, Belmonte, soldat sans armée, revient sur son île chilienne, qui s'appelle Santiago, où sa Pénélope a été torturée par les sbires de Pinochet toujours au pouvoir, bien qu'indirectement. Le personnage porte un nom de torero, sa bien aimée celui d'une figure de tauromachie, Véronique, et le roman n'est pas sans rappeler l'humour et l'épouvante de certaines gravures de Goya. De plus, comme en une corrida classique, il s'organise en trois parties. Ce qui n'est pas dit, c'est que le vrai Juan Belmonte, qui survécut à tous ses taureaux de combat, mourut d'une balle dans la tête, comme Hans Hillermann, en se suicidant, comme Ulrich Helm. Et il n'est pas superflu de rappeler qu'au Chili des réfugiés nazis ont *fondé* une colonie, une sorte de forteresse cachée qui – comme le pénitentier de la dictature uruguayenne qui s'appelait Libertad –, répond au nom infâme et polysémique de Colonia Dignidad.

Luis Sepúlveda est né au Chili en 1949. Emprisonné par les militaires chiliens au moment du coup d'État puis contraint à l'exil, il parcourt l'Amérique latine, vit en Amazonie chez les indiens Shuars, se fixe définitivement à Hambourg. Ses romans sont aujourd'hui traduits en dix-huit langues.

A mes nobles amis : Ricardo Bada (qui m'a convaincu que j'étais un écrivain), Paco Ignacio Taibo II (qui m'a embarqué dans l'aventure du roman noir) et Jaime Casas, alias « El Chancho », qui a vécu le plus noir des romans et n'a jamais cessé de rayonner.

PREMIÈRE PARTIE

*« Tôt ou tard, la vie me poussera en avant et
je bondirai sur le chemin. Comme un lion. »*

Harold Conti, écrivain argentin
disparu à Buenos Aires
le 4 mai 1976.

Un. Terre de Feu : des charognards dans le ciel.

Le chauffeur de *L'Étoile de la Pampa* écarquilla les yeux en apercevant la silhouette du cavalier sur le bord de la route. Cela faisait cinq heures qu'il roulait, les yeux rivés sur la piste toute droite et sans autre distraction que quelques nandous qu'il faisait fuir en donnant des coups de klaxon stridents. Devant lui, la route. A gauche, la pampa couverte d'herbes dures. A droite, la mer franchissant, dans un murmure de haine incessant, le détroit de Magellan. Rien d'autre.

Le cavalier était à quelque deux cents mètres et montait un *mantungo*, un cheval poilu qui patientait en mordillant des brins d'herbe. Le cavalier avait le corps engoncé dans un poncho noir qui couvrait également les flancs de l'animal, le chapeau de gaucho à bord court rabattu sur les yeux, et il ne bougeait pas un muscle. Le chauffeur arrêta le bus et donna un coup de coude à son aide.

— Réveille-toi, Pacheco.

— Quoi ? Je ne dormais pas, chef.

— Non ? Tes ronflements empêchaient d'entendre le moteur. Tu parles d'un aide.

— C'est la faute à la route. Toujours pareille. Pardon. Vous voulez un maté ?

— Regarde. Ce vieux con dort, ou alors il est évanoui.

— Y'a qu'une manière de le savoir, chef.

Dans le bus se trouvaient une poignée de voyageurs ankylosés par les longues heures de route. Certains somnolaient, la tête pendant sur la poitrine, et ceux qui étaient éveillés discutaient sans enthousiasme des mésaventures du football ou de la baisse incessante des cours de la laine. Le chauffeur se retourna, indiqua la silhouette immobile de l'homme à cheval et leur fit signe de se taire.

L'Étoile de la Pampa roula lentement en roue libre pour s'arrêter juste devant le cavalier endormi. Le cheval, sans se troubler, continuait à donner des coups de dents dans l'herbe clairsemée. Cavalier et monture se tenaient devant une curieuse construction en bois, peinte en rouge et en jaune. C'était une sorte de pigeonnier sur pilotis à un mètre et demi du sol. Son volume aurait permis à un homme de dormir commodément à l'intérieur.

L'appel rauque de l'avertisseur alarma le cheval qui releva le cou, encensa de sa tête aux grands yeux étonnés et faillit désarçonner son cavalier en déplaçant sa croupe pour tourner.

— Du calme ! Du calme, idiot ! cria celui-ci, surpris.

— Réveille-toi, vieux con ! Un peu plus et je t'écrasais ! cria le chauffeur en guise de salut, au milieu des éclats de rire de son aide et des voyageurs.

— Bandit. Chauffard. Pauvre type ! répondit le cavalier en flattant le cou de l'animal pour le calmer.

— T'énerve pas, ou tu vas avoir une attaque. Et range-toi, faut qu'on mette le courrier dans la boîte.

— Tu as quelque chose pour moi, maquereau ?

— Peut-être bien. Le règlement dit que tu dois le prendre dans la boîte.

L'aide sauta à terre. Il se dirigea vers l'étrange construction, ouvrit la porte sur laquelle on lisait « Poste Numéro Cinq. Terre de Feu », en sortit plusieurs caisses, des ballots de peaux et un sac portant le sigle de la poste chilienne. Il monta dans le véhicule avec ce chargement et en redescendit quelques minutes plus tard avec des paquets scellés et un autre sac postal. Après avoir déposé les paquets à l'intérieur, il referma solennellement la porte.

– Maintenant, tu peux aller voir si quelqu'un se sou-
vient de toi.

Le cavalier attendit que *l'Étoile de la Pampa* se soit
éloignée. Il regarda le bus diminuer peu à peu, jusqu'à
ce qu'il ne soit plus qu'un point tremblant dans le paysage uniforme de la plaine. Alors il talonna le cheval et
s'approcha du poste.

La lettre disait : « Désolé, Hans. Ceux de toujours
viennent te voir. On se reverra en enfer. Ton ami.
Ulrich. »

– Et voilà. Fallait bien que ça arrive un jour. Depuis
plus de quarante ans que j'attends… Ils peuvent venir
quand ils veulent, murmura-t-il en relisant la lettre que
le vent agitait dans ses mains.

Les éperons d'argent effleurèrent les flancs de l'animal en lui signifiant de se mettre au trot pour quitter
la route et gagner la pampa et ses herbes hautes et lui-
santes qui reflétaient le soleil de midi. Tout à coup, il
tira sur les rênes pour retenir sa monture et se dressa sur
ses étriers en regardant le ciel. Tout là-haut planait un
couple de charognards.

– Pourquoi ces oiseaux de malheur sont-ils les premiers à sentir les mauvaises nouvelles ? dit-il à voix
haute, puis il enfonça ses éperons pour repartir au galop.

Deux. *Berlin :*
auf Wiedersehen *(adieu ma pampa).*

… Je sais que cette lettre est souvent confuse, mais vous devez comprendre que la mémoire n'est pas toujours infaillible et qu'aucune confession n'est claire quand elle est marquée par le poids de la trahison.

J'ai trahi un homme, l'homme qui a été mon meilleur ami, mais je ne crois pas que les émotions aient leur place dans cette maudite histoire et je me bornerai donc à exposer les faits.

En 1941, je servais avec Hans Hillermann dans la police du Troisième Reich. Nous n'étions pas nazis. Nous n'avons eu aucune participation particulière dans la persécution des Juifs ni dans la répression contre les opposants. Notre mission à Berlin consistait à garder la porte principale de la prison de Spandau.

Les hivers berlinois étaient et sont toujours rudes. L'administration de la prison avait aménagé une petite pièce chauffée dans le sous-sol du bâtiment, où les gardes pouvaient se dégourdir les membres et boire de temps en temps un pot de café. Hans et moi étions unis par une longue amitié cimentée au cours d'interminables parties d'échecs et par le secret désir d'émigrer un jour, de partir à jamais pour un lieu considéré comme l'ultime recoin de la planète encore porteur d'espoir : la Terre de Feu. Nous rassemblions des informations sur cette contrée lointaine, extraits de journaux de voyageurs, livres de géographie, qui nourrissaient notre imagination et notre envie de quitter l'Allemagne. Je suis né en Saxe. Hans, à Hambourg. Il connaissait les milieux du port de sa ville et ne cessait de me répéter qu'il était relativement facile d'embarquer. Nous avions même un plan pour déserter, mais l'argent nous manquait. Nous passions ainsi de longues nuits dans la cave chauffée, à déplacer les pièces sur l'échiquier et à nous lamenter sur notre pauvreté qui nous condamnait à rester sous l'uniforme.

Un jour, que nous nous trouvions seuls – je ne me souviens plus de la date exacte -, nous nous sommes aventurés à forcer la serrure d'une porte qui conduisait à une sorte de magasin. Nous savions que cette dépendance était utilisée par des officiers de la SS qui entraient et sortaient du lieu pour y déposer ou y prendre des paquets soigneusement ficelés. Nous espérions trouver un bon vin ou une bouteille de brandy pour égayer notre garde, mais nous n'avons vu que des paquets légers et minces. Avec force précautions nous en avons ouvert un, et nous avons découvert un tableau. Ni Hans ni moi n'avions de connaissances en art, mais nous avons supposé que si les SS conservaient ces peintures, c'était qu'elles avaient de la valeur. Je me souviens que Hans a dit : « Dis-donc, Ulrich, on dirait qu'on se rapproche de notre voyage. »

Nous avons souvent franchi cette porte, et nous avons examiné diverses œuvres d'art. Souvent, aussi, nous avons été tentés par l'idée d'en prendre une et de déserter, mais nous étions arrêtés par l'amère évidence que nous ne pourrions rien en faire. Comment déterminer sa valeur ? A qui la vendre ? Et puis, dès que les SS se rendraient compte de son absence, ils n'auraient pas de mal à identifier les voleurs. Nous soupçonnions bien l'immense richesse que nous avions à portée de la main, mais notre ignorance nous tourmentait. Plusieurs mois ont passé ainsi, et puis, une nuit que nous étions de garde, nous avons forcé, une fois de plus, la serrure. Cette fois, nous avons trouvé une petite caisse en bois très bien emballée. Nous l'avons ouverte en prenant soin de ne pas tordre les clous, ni de laisser de traces sur les planches. A l'intérieur, sous des couches d'étoupe, il y avait une caisse plus petite, fermée par un fort cadenas en bronze. Sur la surface du cadenas, nous avons lu : « Lloyd Hanséatique, Hambourg ».

La vue du cadenas a agi comme une puissante invite à l'ouvrir, et nous l'avons fait en sachant que nous accomplissions le geste le plus dangereux de notre vie. Ce que nous avons découvert à l'intérieur nous a coupé le souffle : soixante-trois pièces d'or.

Fous de joie, nous nous sommes embrassés. Nous nous approchions enfin de la réalisation du rêve si long-temps partagé. Hans a été le premier à sortir de cette euphorie. Tout en remettant les pièces d'or dans leur boîte, il a dit : « Ulrich, c'est tout de suite ou jamais. Ces pièces valent plus que tout ce que nous pouvons imaginer. Partons, et on verra ensuite ce qu'on peut en faire. Ils vont remuer ciel et terre pour nous retrouver, et plus on sera loin, mieux ça vaudra. »

Nous sommes arrivés à Hambourg en novembre 1941. Effectivement, Hans connaissait des dockers. Pendant que nous attendions le bateau qui devait nous emmener, j'ai appris sur lui beaucoup de choses dont je ne m'étais jamais douté, par exemple qu'il avait appartenu au mouvement Spartakus et qu'il avait eu un frère qui était mort en Espagne, en combattant chez les inter-nationalistes de la brigade Thaelmann.

Les spartakistes du port nous ont cachés dans une maison d'Altona.

Nous avons passé là trois semaines dans l'attente du bateau qu'on nous avait indiqué. Nous devions voyager dans la cale d'un cargo sous pavillon chilien, le *Lebu*, qui faisait escale deux fois par an à Hambourg avec un char-gement de bois. Durant cette attente, je me rappelle lui avoir demandé s'il avait une idée sur la manière dont nous pourrions vendre ces pièces. Sa réponse n'était guère encourageante : « Oublie-les, Ulrich. On ne pourra jamais les vendre. Du moins, pas avant la fin de la guerre. A ce moment-là, on verra : soit leurs propriétaires voudront les récupérer, soit on les fondra. J'ai peur qu'il ne s'écoule beaucoup de temps avant que nous puissions en tirer un bénéfice. »

Une nuit, la griffe du malheur nous a rejoints.

Je ne sais pas si nous avons été dénoncés ou si la maison qui nous hébergeait était surveillée depuis longtemps par la Gestapo ; toujours est-il que Hans a réussi à s'enfuir en emportant les pièces.

Je pense qu'il est inutile de m'étendre sur ce que j'ai enduré. Lorsque je n'ai plus été capable de faire le compte des semaines, des mois peut-être, passés aux mains de la Gestapo, j'ai décidé que Hans se trouvait nécessairement hors d'atteinte et, dans les aveux réitérés que j'ai faits, je me suis limité à reconnaître ma complicité dans le vol. Ma petite expérience de policier me soufflait que ces hommes ne me tueraient pas avant d'avoir obtenu l'information qui leur manquait : l'endroit où se trouvait mon associé.

Ils connaissaient leur travail. Les coups, les tortures se succédaient systématiquement, sans mettre en danger ma vie ni ma santé mentale. Ils savaient qu'un fou leur échapperait définitivement. J'ai tenu ainsi quatre ans, en m'accrochant aux trois mots qui n'ont jamais franchi mes lèvres et que j'avais gravés dans mon cerveau comme un tatouage : Terre de Feu.

En juin 1945, des soldats russes m'ont découvert dans les sous-sols du quartier général de la Gestapo. Je ne pouvais pas marcher. Une lésion à la colonne vertébrale avait paralysé mes jambes pour toujours. Ils m'ont sorti de là. J'ai revu la lumière. J'ai revu Berlin en ruines. J'ai appris que l'Allemagne avait capitulé, que le Troisième Reich n'existait plus, que le cauchemar s'achevait.

Des officiers des services spéciaux russes m'ont interrogé et j'ai inventé une histoire. Je leur ai dit que j'avais été dans la police, que la Gestapo m'avait arrêté à cause de mon activité antifasciste. Pour rendre mon récit crédible, j'ai cité les noms des spartakistes qui nous avaient aidés à Hambourg. Les Russes ont enquêté. Par chance, tous ces hommes étaient morts pendant la guerre et ma version a été acceptée, faute de témoins pour la contredire.

Au début de l'année 1946, les Russes m'ont transféré à Moscou pour un traitement médical. Mes jambes étaient irrécupérables et, après avoir passé cinq ans dans un fauteuil roulant à identifier les nazis parmi les milliers de soldats allemands prisonniers, j'ai reçu l'autorisation de rentrer à Berlin. Mon plan était de quitter l'Allemagne et de trouver un moyen de gagner la Terre de Feu. J'étais absolument convaincu que Hans était làbas et m'y attendait avec ma part du butin. Mais les mouvements d'un infirme sont moins rapides que ses pensées et je me suis retrouvé citoyen de la RDA, enfermé dans une prison à ciel ouvert proclamée paradis socialiste.

C'est en 1955 que j'ai reçu pour la première fois des nouvelles de Hans. J'ignore comment il a fait pour me poster une lettre de Sidney, il l'a probablement confiée à un voyageur. Le message était très laconique, mais il disait tout : « J'ai appris que tu avais des problèmes de santé. Je suis où tu sais. C'est un bon endroit pour se rétablir. »

Ce laconisme a particulièrement écœuré la Stasi. Le cauchemar a recommencé. Menaces, coups, encore et toujours. Ils connaissaient l'histoire des pièces sur le bout des doigts et voulaient savoir dans quelle ville d'Australie vivait Hans. Cent et cent fois, ils m'ont assis devant une carte de l'Australie. Cent et cent fois, j'ai inventé des histoires. Heureusement, l'Australie est un continent. En fin de compte, j'ai passé toute mon existence en RDA avec interdiction absolue de sortir de Berlin. Chaque lettre que je recevais était d'abord lue et analysée par la Stasi, et mon nom figurait en tête d'un dossier de plus de mille pages.

Cinquante ans durant, j'ai gardé le secret du lieu où se trouvaient Hans et les pièces. Cinquante ans durant, j'ai rêvé de nos retrouvailles et de la possibilité de jouir enfin de ce butin. Quand la RDA s'est défaite comme un château de cartes, j'ai pensé que le moment tant espéré était enfin arrivé. J'avais quelques économies, suffisantes pour acheter un billet pour l'Amérique du Sud, j'avais un passeport en règle, et rien ni personne ne m'empêchait plus de voyager. C'était du moins ce que je croyais : et puis, il y a quelques jours, je suis retombé entre les mains d'individus armés qui ont été autrefois nazis, ensuite communistes, et dont seul le diable aujourd'hui sait ce qu'ils sont.

J'ai été intercepté en plein centre de Berlin par deux hommes que je connaissais déjà. Des ex-agents de la Stasi. « Viens. On veut te causer de Hans Hillermann. » Ils m'ont soulevé de mon fauteuil roulant et m'ont fourré dans une voiture. Ils ont fait ça très vite, sans me laisser le temps de crier au secours. Je n'ai pas pu le faire non plus en descendant, car ils m'ont sorti du véhicule dans le garage souterrain d'un immeuble et m'ont emmené sur une civière jusqu'à un bureau, sur la porte duquel il y avait la plaque d'une agence immobilière. Mais j'ai pu voir par une fenêtre que nous étions sur la Kurfürstendamm.

Là, pour la première fois, j'ai été interrogé par un homme qu'ils appellent le Major. Il m'a montré un dossier volumineux qui portait mon nom et, en s'éventant avec les feuilles, il m'a fait comprendre que s'ils n'avaient pas été plus méchants avec moi jusque-là, c'était parce qu'ils avaient attendu patiemment que je commette la grande faute.

Et la faute n'était pas venue de moi. Le Major a sorti de son bureau une deuxième lettre de Hans, dont le texte était aussi bref que celui de la précédente : « Maintenant, rien ne t'empêche plus de venir. Annonce ton arrivée où tu sais. Poste numéro cinq. » La lettre avait été postée à Santiago du Chili.

Un homme peut résister à la douleur. L'étonnant mécanisme du cerveau offre des recoins, des régions de

vide absolu dans lesquels il est possible de se cacher, et
il reste toujours l'option finale de sombrer dans la folie.
Mais ces deux possibilités de supporter la douleur sup-
posent que l'on croie en « quelque chose » et que l'on
voie, que l'on sente qu'en gardant le silence, ce
« quelque chose » demeure hors d'atteinte des tortion-
naires.

En lisant que la lettre venait du Chili, j'ai su que je
n'avais plus rien en quoi je pouvais croire – et je me
suis toujours considéré comme un Allemand atypique
parce que je sais perdre.

Face au Major et à ses hommes, je ne pouvais plus
nier que Hans se trouvait au Chili et j'aurais beau leur
indiquer n'importe quelle région de ce pays, ils se
renseigneraient sur tous les postes numéro cinq jusqu'à ce que, par élimination, ils finissent par trouver le
bon.

C'est ainsi que j'ai trahi mon ami. J'ai trahi, mais
devant l'insistance du Major à vouloir connaître le nom
de celui qui avait commandité le vol, j'ai compris que
je pouvais encore gagner du temps et leur compliquer
leur victoire. S'il supposait que quelqu'un nous avait
donné l'ordre de voler les pièces, c'était parce qu'il
craignait que cette personne ne parvienne à elles avant
lui, et le souvenir des mots « Lloyd Hanséatique » gravés sur le cadenas m'est revenu à l'esprit : j'avais un
atout.

Pour gagner du temps, j'ai continué le jeu et j'ai
donné le nom du chef de la police berlinoise en 1941.
Alors j'ai vu le Major consulter un ordinateur, et l'écran
lui a livré des données apparemment intéressantes car il
est devenu euphorique.

J'ignore dans quelles affaires louches mon supérieur
hiérarchique a pu tremper et je m'en moque bien, mais
en tout cas ça m'a permis de me tirer de là. Naturellement, je ne pouvais pas penser à m'enfuir : on ne
s'enfuit pas dans une chaise roulante. Je voulais sortir
de là avant que le Major ne découvre qu'il avait oublié

une question importante : l'identité actuelle de mon ami.

Ils m'ont ramené au garage souterrain, nous sommes remontés dans la voiture – cette fois le Major s'était joint au groupe – et nous sommes partis dans les rues de Berlin.

– Tu vas identifier ton ancien chef. C'est tout. Tu nous diras qui c'est, et ton rôle dans cette histoire sera terminé, a dit le Major.

Je ne me souvenais même pas du visage de l'homme que j'avais vu à peine deux ou trois fois pendant la guerre, mais j'ai acquiescé. La voiture s'est arrêtée tout près de la gare du Zoo, un des ex-agents de la Stasi s'est mis à pousser le fauteuil roulant et, quand j'ai vu que des dizaines de passants nous entouraient, je me suis jeté par terre en hurlant de douleur.

Immédiatement, des curieux et des gens compatissants se sont précipités. J'ai dit : « C'est le cœur. J'ai déjà eu un infarctus », et ni le Major ni ses hommes n'ont réussi à empêcher qu'une ambulance ne m'emporte.

On trouve toujours des anomalies chez un homme de soixante-dix ans, surtout quand il s'agit d'un paralytique.

Je vous écris de l'hôpital de Charlottenburg. Vous trouverez Hans Hillermann et les pièces d'or maudites en Terre de Feu. La seule adresse que je possède est celle que j'ai déjà donnée : poste numéro cinq. Avec un peu de chance, cette lettre vous arrivera et vous rencontrerez Hans avant les hommes du Major. Mon ami s'appelle maintenant Franz Stahl.

Je ne sortirai pas d'ici vivant. Je pouvais raconter l'histoire à la police et demander sa protection, mais tout ce jeu dure depuis tellement longtemps qu'il serait obscène de lui donner une fin si sordide. Et je suis sûr que Hans sera heureux de continuer la partie jusqu'à ses ultimes conséquences. Je lui ai simplement écrit : « Désolé, Hans. Ceux de toujours viennent te voir. On se reverra en enfer. »

Quand vous lirez cette lettre, je serai en route. J'ai perdu. J'ai toujours perdu. Ça ne m'irrite pas, je m'en fiche. Perdre est une question de méthode.

Ulrich Helm
Berlin, février 1991.

Trois. Hambourg :
joyeux anniversaire !

Ce matin de février, le froid me réveilla. Je sautai du lit en lançant des jets de vapeur par la bouche et la première chose que je fis fut de vérifier si les fenêtres étaient bien fermées. Elles l'étaient. Ensuite je regardai le thermostat du chauffage, le mis sur le chiffre cinq, le plus élevé, mais le radiateur était aussi froid que le sol. Je m'apprêtais à téléphoner au gérant, quand j'entendis qu'on sonnait à la porte.

J'ouvris. Un petit râblé avec un passe-montagne bleu enfoncé jusqu'aux yeux et qui essayait de s'exprimer dans un mélange d'allemand, d'anglais et de langage des sourds-muets, me montra une trousse à outils.

– Je regrette. Je n'achète rien, lui dis-je.

– Non. Chauffage. Vous comprendre ?

Je le laissai passer. Il alla au radiateur, se pencha, défit un boulon, des gouttes d'une eau huileuse coulèrent du trou, il rajusta le boulon, tâta toutes les faces, hocha la tête, empoigna un *walkie-talkie* et lança dans le plus pur chilien :

– *La cagamos, huevón. Te lo dije,* over. *¿ Cómo ? O sea que yo tengo que ir por todos los pisos dando explicaciones. A mí no me entienden, huevón,* over.

Ce qui peut se traduire approximativement par : « On a fait une connerie, mon vieux. Je te l'avais bien dit, *over*. Quoi ? Que je fasse tous les étages pour donner des explications ? Ils comprennent rien quand je cause, couillon, *over*. »

Le petit râblé resta quelques instants l'appareil collé à

l'oreille, mais apparemment son collègue avait décidé de couper la communication.

– Chilien ? lui demandai-je.

Le petit râblé fit un signe affirmatif de la tête. Il continuait à attendre la voix de son compagnon.

– Qu'est-ce qui va se passer, avec le chauffage ? On est en hiver.

– Probable qu'on a bouché le tuyau central. Le problème, c'est de trouver où ça bloque. On va être forcé de démonter les radiateurs de tous les appartements. Une belle connerie, patron.

– Dans ce cas, commencez par ici, je dois sortir bientôt.

– C'est pas si simple. Faut attendre l'ingénieur. Ça risque de durer un bail.

– Comment faire, alors ? Vous ne pouvez pas me laisser sans chauffage.

– Vous bilez pas. Vous n'avez qu'à nous laisser la clef. Faudra seulement nous signer une autorisation d'entrer dans votre appartement. Tenez, voilà le formulaire.

Le petit râblé me tendit une feuille que je remplis pour satisfaire à l'obsession allemande des biographies, je la signai et la rendis avec un double de la clef de l'appartement.

– Bon, maintenant je vais prévenir les autres locataires. Et ne vous faites pas de mouron, en rentrant vous trouverez le chauffage en marche, dit-il avant de sortir.

– J'espère bien. Je n'ai pas une vocation de pingouin.

Dans la salle de bains, je découvris qu'il n'y avait pas non plus d'eau chaude et je me résignais déjà à me raser à sec quand j'entendis sonner encore une fois à la porte. J'ouvris et trouvai de nouveau le petit gros, le papier que je lui avais signé à la main et un sourire lui fendant le visage d'une oreille à l'autre.

– Joyeux anniversaire !

– Quoi ? Je ne comprends pas ce que tu dis.

– C'est votre anniversaire. Regardez, là, vous avez

marqué votre date de naissance. Vous vous rendez compte ? Joyeux anniversaire !

Quarante-quatre ans. Petit râblé de merde. Oiseau de malheur. Assis sur le siège des cabinets, je décidai d'oublier l'incident. Quarante-quatre ans. Chez un individu comme moi, le seul mérite qu'il puisse revendiquer d'être arrivé à cet âge est justement celui-là : d'y être arrivé. Joyeux anniversaire. J'allumai le premier clope de la journée et regardai les livres amoncelés sur le bord de la fenêtre. Il y avait là les histoires de Paco Taibo, de Jürgen Alberts, de Daniel Chavarría, que j'avais l'habitude de lire au fil de mes passages en ce lieu, avec le plaisir inégalable des petites revanches, parce que, dans ces histoires, les individus que je considérais comme de mon bord perdaient systématiquement, mais ils savaient parfaitement pourquoi ils perdaient, comme s'ils s'étaient donné pour tâche de formuler la plus contemporaine des esthétiques : l'art de savoir perdre.

Le froid m'expulsa de l'appartement. En fermant la porte à double tour, je sentis un élancement dans les reins et me demandai si ce n'était pas la soudaine certitude d'avoir bouclé mes quarante-quatre ans. Je commençai à descendre l'escalier. En arrivant au palier du deuxième étage, je me trouvai nez à nez avec un couple de voisins qui montait, chargé de sacs à provisions. C'étaient des voisins assez particuliers, dont le sport favori était de tout *ottomaniser*. L'homme entretenait une correspondance régulière avec le gérant, et ses lettres dénonçaient le moindre de mes faits et gestes comme une coutume turque insupportable. Si j'écoutais des tangos en sourdine, il se plaignait de mes liturgies musulmanes, et si je mettais un disque de salsa, ses réclamations mettaient en cause la moralité douteuse d'un Turc qui vivait sans femme connue. Je leur souhaitai une bonne après-midi, sans le moindre intérêt pour la réalisation de mon souhait. L'homme me répondit par un grognement qui prouvait qu'il n'était pas sourd, tandis que la femme m'ignorait, trop occupée à s'égosiller contre les gamins pour leur demander de monter, oui ou merde. Je continuai ma descente et me heurtai au regard méfiant des deux enfants.

— Ça va, les nains ?

— On n'est pas des nains, et toi t'es un type très louche, répondit l'un.

— Comment tu sais ça ?

— Parce que nos parents nous disent qu'on doit travailler à l'école pour ne pas devenir comme toi, le Turc louche qui se lève à cinq heures de l'après-midi, précisa l'autre.

— Chantez-moi quelque chose. C'est mon anniversaire.

— Les étrangers n'ont pas d'anniversaire, affirma le premier, mais il ne put continuer car, venue des hauteurs, la tendre voix maternelle les menaçait d'une raclée.

La nuit. Dans la rue, le froid de février courbait l'échine des passants, les obligeant à chercher par terre quelque chose d'impossible à trouver. Je remontai le col de mon manteau et marchai, les mains dans les poches. La nuit. Jusqu'à la fin mars, je continuerais à ne pas voir la lumière du jour, mais il n'y avait pas motif à s'attendrir. Quand viendraient les journées interminables de l'été, je souhaiterais de tout mon cœur que revienne l'obscurité nocturne où tous les chats sont frères.

Comme tous les soirs, un respectable fleuve d'urine coulait dans l'escalier du métro. Je me dirigeai en évitant les flaques vers les distributeurs automatiques de tickets. Comme toujours, un seul fonctionnait sur les cinq et, comme toujours, devant les appareils un groupe d'ivrognes euphoriques s'efforçait de vider un lot de boîtes de bière en moins de temps qu'il ne faut pour le dire. Je mis les pièces requises.

– Dis donc, depuis quand on accepte les cochons dans le métro ? cracha l'un.

– Retourne en Anatolie, Mustapha, grogna l'autre.

Il n'était que six heures du soir, mais j'avais l'impression que la journée commençait bien. Privé de chauffage, insulté par deux nains, et maintenant par ces jeunes qui puaient la pisse. Un des avantages de vivre à Hambourg, c'est qu'on y trouve un tas d'occasions de cultiver sa forme physique. Un nazi est une espèce de punching-ball parlant toujours en quête d'une paire de claques, encore que beaucoup d'intellectuels, résolument lâches sous leur masque de pacifistes, cherchent à me convaincre que cette bande d'ivrognes, par exemple, ne doivent pas être considérés comme des nazis mais comme des déçus du système, victimes de la consommation qui les rejette, comme si le nazisme n'était pas la quintessence de la merde.

– Tu te tailles, oui ou non ? Cochon canaque, éructa un autre.

Oui. Il n'était que six heures, mais la journée commençait bien. Joyeux anniversaire, me dis-je en envoyant mon pied gauche dans l'amas de boîtes de bière.

Les jeunes reculèrent prudemment, suffisamment loin pour pouvoir m'injurier pendant que je faisais valser les boîtes de bière. Joyeux anniversaire, me répétai-je en faisant les derniers pas de ma danse destructrice, puis je partis vers le quai, les chaussures couvertes de mousse.

Le wagon était plein d'individus silencieux. Certains me dévisagèrent avec l'évidente désapprobation quotidienne, avant de se replonger dans ce cours d'alphabétisation qui a pour nom *Bild*. Compagnons d'un bref voyage de cinq stations. Ce ne sont peut-être jamais les mêmes, mais je les vois toujours pareils. Fatigués par huit heures de travail en usine ou au bureau, sans l'énergie ni le désir d'entrer dans un café bien chauffé et de s'asseoir pour décider de la manière d'employer les douces heures de loisir bien gagné. Hermétiques, tétant leur inévitable boîte de bière tiède, en route vers leur foyer silencieux, leur pain silencieux, leurs concombres silencieux, leurs tranches de salami sinistre, leurs pantoufles inconfortables mais qui préservent la moquette, leur bière, encore et toujours, devant le téléviseur mis très bas pour vérifier si le voisin du dessus respecte les lois du silence.

Un des voyageurs s'approcha d'une affiche de l'Agence pour l'emploi. Il la lut, sortit un crayon et nota quelque chose sur le bord de son journal. Je m'approchai à mon tour de l'affiche. Elle informait de l'importance des stages de formation pour adultes. « Il n'est jamais trop tard pour apprendre. »

Et qu'est-ce qu'un type comme moi peut apprendre à quarante-quatre ans ?

J'avais un emploi et je devais le garder, car les possibilités d'en trouver un autre, mis à part le déchargement des bananes congelées sur le port, n'étaient pas exaltantes. A quoi peut bien servir un type comme moi ? A quoi peut encore être bon un ex-guérillero de quarante-quatre ans ? A l'Agence pour l'emploi de Hambourg, on regarderait d'un drôle d'œil ma demande de stage de formation, si je mettais à la rubrique « que savez-vous faire ? » : expert en filatures et contre-filatures, sabotages et actions similaires, faux-papiers, production artisanale d'explosifs, docteur-ès défaites.

J'avais un emploi qui me permettait de dormir le matin et, au réveil, de consacrer quelques heures à la lecture de romans policiers sur le siège des cabinets ou dans la baignoire. Le soir, j'officiais en qualité de discret responsable de l'ordre au Regina, un des derniers cabarets de la Grosse Freiheitstrasse, la rue de la Grande Liberté.

Le travail n'avait rien d'éreintant et ne demandait pas qu'on se complique les méninges. Il s'agissait de rappeler le sens de la mesure aux petits vieux enflammés par une paire de nichons qui essayaient de monter sur la scène pour vérifier si ces phénomènes étaient dus à la silicone ou si c'était de l'authentique chair de femme. Je devais également expliquer aux braillards installés dans les box que les filles aux gorges profondes ne faisaient pas de rabais et, de temps en temps, j'avais à expédier une mornifle aux avares qui essayaient de s'éclipser sans payer les petites culottes des strip-teaseuses. Videur de bordel ça n'était pas si mal, aussi je préférai ignorer l'appel de l'Agence pour l'emploi.

A la sortie du métro, le froid mordait la peau et les première putes habillées en astronautes occupaient chacune son mètre carré de trottoir devant le commissariat de police de la Davidstrasse. Je marchai en me massant les mains jusqu'à l'Imbiss de Zelma. La porte de la boutique à peine poussée, la douce chaleur régnante et l'odeur du kebab ruisselant qui rôtissait à la verticale me donnèrent envie de fêter mon anniversaire. Zelma, grosse comme un tonneau, enveloppait pour une fille deux portions de poivron farci. Elle me salua :

— Comment ça va, mon compatriote ?

— Bien, ma compatriote. J'ai drôlement faim.

— Et tu as froid, mon compatriote. Tu grelottes. Viens, sers-toi un verre de thé.

La fille prit le paquet. Tout en payant, elle demanda :

— Pourquoi parlez-vous allemand entre vous ? Vous n'êtes pas du même pays ?

— C'est un Turc malgré lui, expliqua Zelma.

— Non, par osmose, précisai-je.

— Je ne comprends pas, dit la fille.

— Tu sais ce que c'est, l'osmose ? C'est le passage, forcé ou volontaire, de deux liquides de densité différente à travers un tube. Les Turcs, on les fait passer par le tube de la haine à coups d'insultes. Je ne suis pas turc, je devrais donc passer par un autre tube, mais on me met dans le même.

– Bien expliqué, mon compatriote. T'aurais dû être prof, apprécia Zelma.

– Trop compliqué pour une étudiante. Mais t'as quand même l'air d'un Turc, ajouta la fille, et elle partit avec ses poivrons farcis.

Le thé chaud, sucré et parfumé me fit oublier le froid. Deux jeunes entrèrent et commandèrent un *donner kebab*. Le verre de thé dans mes paumes, je regardai Zelma découper des lamelles dans la viande d'agneau dorée et les mettre dans les légers pains turcs. Elle était grosse comme un baril, mais elle évoluait avec la grâce d'une danseuse. Elle avait peut-être dansé jadis la danse du ventre en électrisant des types moustachus. Un foulard blanc serrait ses cheveux noirs, et l'éclat enfantin de ses yeux sombres suggérait qu'elle prenait son activité commerciale comme un jeu. Des générations de putes s'étaient nourries à l'Imbiss de Zelma, elle leur faisait crédit aux époques de vaches maigres, certaines la payaient en argent et d'autres en insultes, mais Zelma ne perdait jamais sa bonne humeur ni l'éclat de son regard.

– A toi, mon compatriote! Qu'est-ce que tu vas manger?

– Quelque chose de vraiment bon. C'est mon anniversaire.

– Ali! appela Zelma et, du fond de la boutique, apparut Ali, le mari, les yeux rougis par les oignons qu'il était en train d'émincer.

Quelques minutes plus tard, j'étais assis devant un plateau d'aubergines frites, poivrons farcis, fromage de chèvre, piments doux, agneau rôti et pâtisseries fondantes feuilletées au miel.

– Je ne sais pas comment je vais avaler tout ça.

– Avec du vin, expliqua Zelma. Ali, qu'est-ce que tu attends?

Ali déboucha une bouteille de vin portugais et me demanda quel âge j'avais. Je le lui dis, tout en dévorant.

– Quarante-quatre ans, répéta-t-il, en faisant glisser les

boules de son chapelet, quarante-quatre ans. Quand j'ai eu ton âge, j'ai décidé qu'il était temps de penser au retour. Avec nos économies, nous pouvions ouvrir un restaurant en Turquie, mais tu sais comment est Zelma, elle a refusé de quitter le quartier. Tu devrais y penser, au retour. Le temps passe très vite, et on finit par rester là.

– Charrie pas, Ali. Toi aussi, tu veux me foutre à la porte de l'Allemagne ?

Le rire de Zelma remplit le local, et elle ne s'arrêta de rire que pour me chanter *Happy birthday to you* avec son mari.

Quand je sortis dans la rue, il pleuvait. Les panneaux des sex-shops se reflétaient sur l'asphalte et les souteneurs passaient dans leurs Mercedes de sport pour contrôler la viande exposée sous les parapluies. Je venais de fêter mon anniversaire, et dans les règles, ou du moins c'était ce qu'attestait le goût des épices collées à mon palais. Mais quelque chose, aussi, me restait encore dans les oreilles, et c'étaient les paroles d'Ali.

Retourner, rentrer. *Volver con la frente marchita, las nieves del tiempo…*, comme chantait Carlos Gardel : le visage marqué, les neiges du temps. Rentrer où ? La seule chose qui m'attendait au Chili, c'était la conviction d'une vengeance impossible. Non. Ce n'était pas la seule chose. Il y avait quelqu'un, une personne, une femme, qui m'attendait peut-être – ou qui, peut-être, ne s'était même pas aperçue de mon absence parce qu'elle n'était elle-même, tout entière, qu'absence et abîme. Combien de fois m'étais-je giflé pour me forcer à regarder la réalité en face. Allons, me disais-je, tu es en Europe, en Occident, en Allemagne, à Hambourg, latitude tant, mais c'était comme frapper l'image sans défense qu'offre un miroir, parce que les neurones rebelles se chargeaient de me rappeler que je vivais dans le no man's land que certains, par euphémisme, nomment exil.

S'exile celui qui n'a connu qu'un côté de la médaille et qui persévère dans son erreur bien au-delà du moment où il l'a comprise : mais quand il a traversé tout le tunnel et découvert que les deux bouts sont également obscurs, il reste prisonnier, collé comme une mouche au papier tue-mouches. La lumière n'existait pas. Elle n'était qu'une invention enfiévrée, et la clarté chirurgicale du lieu qu'il habite lui dit qu'il vit dans un territoire sans issue et que chaque année qui passe, au lieu de lui apporter la sérénité, la sagesse, l'intelligence pour qu'il essaye de s'échapper, se transforme en nouveau maillon de la chaîne qui l'attache. Et il peut bien avancer, ou croire qu'il avance, marcher dans n'importe quelle direction, les frontières s'éloigneront toujours, suivant une progression mathématique, proportionnelle à la longueur de ses pas. Non, Ali. Je ne partirai pas d'ici, à moins d'un miracle, et les anciens guérilleros comme moi n'ont ni le temps ni l'envie de s'accrocher à de nouveaux mythes. Il n'est pas facile de veiller sur les sépultures de ceux que nous avons été. Au fond, Ali, ce dont j'ai peur, c'est de mourir dans mon lit. Des années durant, j'ai cherché, comme tant d'autres, la balle qui portait mon nom dans les rainures du canon. C'était la clef d'une mort digne, habillée du vêtement élémentaire de la croyance en quelque chose. Mais tout ça c'est fini, la croyance s'est évanouie, le dogme n'est plus qu'une anecdote puérile et je suis là, tout nu, dépouillé de la grande perspective qui a marqué les individus comme moi : mourir pour quelque chose qui s'appelait la révolution et ressemblait au paradis qui attend les *pashdaran* islamiques – mais sur une musique de salsa.

Quand j'entrai au Regina, le show était déjà commencé. Sur la scène, une fille faisait semblant de se masturber avec un boa en plumes. Je pris ma place au bar tandis que, près de moi, Big Jim touillait le cocktail qu'il s'était préparé avec un demi-litre de lait, six œufs, une pincée de piment et un verre de rhum. Il l'avala d'un trait et grommela un « merde » qui complétait son expression de dégoût. Avant de monter sur la scène, il me tapota le dos.

— C'est archiplein. J'ai compté quatre pelés.

— Mauvaise nuit, Black. Ça ira peut-être mieux pour ton second passage.

Big Jim était un paquet de muscles recouverts de patine noire bien tendue. Enveloppé dans une cape de polyester qui imitait la peau d'un léopard, il attendit sur le côté de la scène que le showman le présente.

— Respectable public du Regina… enfin, c'est manière de parler, je ne veux offenser personne. Pas si respectable que ça public du Regina ! C'est mieux comme ça ? En provenance directe de la Nouvelle-Orléans, le colosse du peep-show américain : Big Jim Splash, le baiseur télépathique !

Les quatre pelés de la salle émirent des bruits divers tandis que Big Jim s'avançait au centre de la scène en traînant un tabouret. Une fois là, il attendit que le tourne-disque attaque le premier mouvement d'*Also sprach Zarathustra* pour enlever sa cape et apparaître à poil.

Les quatre pelés étaient phonétiquement identifiables comme des Bavarois. Ils n'avaient certainement pas compris ce que voulait dire baiseur télépathique, et ils firent savoir par leurs spasmes gutturaux qu'ils venaient pour voir des gonzesses à poil et pas des mecs, encore moins un nègre sur la scène, mais quand Big Jim s'assit sur le tabouret et écarta les cuisses pour faire osciller comme un pendule une virilité pointure quarante-cinq fillette, le silence respectueux que tous les artistes apprécient s'établit aussitôt.

— Putain de nuit. Et j'ai mon loyer à payer, me dit Tatiana la Polonaise.

— Le froid inhibe. Quatre pelés.

— Quatre pelés et un tondu. Dans un box, un type en

fauteuil roulant. J'ai voulu lui tenir compagnie, mais il a
un affreux roquet qui ne m'a pas laissé approcher.

Je regardai du côté des box. J'y vis un homme assis
dans un fauteuil roulant. Il y avait un seau à champagne
sur la table. Le chien devait être dessous.

Sur la scène, Big Jim serrait les poings et les fesses en
fermant les yeux. La verge avait pris de l'ampleur et
braquait sur le public son énorme tête sombre. Big Jim
se mit à grincer des dents, tout en imprimant à ses fesses
un mouvement ondulatoire.

— Tu me payes une grappa? Je suis fauchée, geignit
Tatiana.

— Une seule. Tu as ton numéro à faire. Regarde. Le
Black va lâcher son coup.

— Putain de nègre. Je ne sais pas comment il fait. Je
l'ai pris trois fois dans mon lit, et zéro. T'as vu comme
il prend son pied quand il y a des femmes dans le public
et qu'elles se battent pour lui titiller le braquemart?

— Moi, tu ne m'as jamais invité dans ton lit.

— Bien sûr. T'es comme un frère, et on ne baise pas
entre frère et sœur. Tu sais que t'as quelque chose d'un
curé? Te fâche pas. Merci pour la grappa.

Les mouvements ondulatoires de Big Jim s'étaient
transformés en ballet frénétique. La sueur ruisselait sur le
visage du baiseur télépathique. Soudain il se mit debout,
leva les bras, les croisa derrière sa nuque, se cambra pour
que sa verge atteigne sa longueur maximale et alors, tandis que montait une plainte du plus profond de son corps,
la fente du gland se dilata pour cracher des jets de sperme
qui atteignirent les tables vides de la première rangée.

Les quatre pelés tardèrent à applaudir. L'un d'eux se
risqua à rompre leur stupéfaction catholique et bava-
roise en criant *bis*, mais Big Jim sortait déjà de scène en
traînant sa peau de léopard synthétique. C'était le tour
de Tatiana la Polonaise.

« Directement de Varsovie, Tatiana, la perle polonaise du strip-tease. Les personnes qui ont des problèmes cardiaques sont priées de quitter la salle avant qu'elle enlève son soutien-gorge », aurait dû annoncer le *showman*, mais il ne dit pas un mot. Livide, il regardait en direction de l'entrée. Ce que je vis ne me remplit pas non plus d'allégresse.

Cinq bébés monstrueux. Crânes passés au papier de verre. Chemises affichant « je suis fier d'être Allemand ». Blousons d'aviateurs américains. Bottes de parachutistes. Ils entrèrent en aboyant le *Deutschland, Deutschland über alles* et en rotant à plein volume, les poumons et l'amour de la patrie conséquemment gonflés de bière. Quand ils eurent fini de vociférer l'hymne de leurs aïeux, l'un d'eux se hissa sur une table.

– *Heil Hitler !* A partir de dorénavant, cette porcherie obéit aux règles de la morale allemande. Ordre numéro un : Il est interdit aux Philippines, aux Polonaises et aux nègres dégénérés de se produire, parce qu'ils offensent la dignité allemande. Deux : il est interdit aux putes attachées à l'établissement de baiser avec des cochons étrangers. Trois : tout le personnel artistique et de service, ainsi que les tailleuses de pipes des box verseront cinquante pour cent de leurs rentrées à l'Union du Peuple Allemand, dont les valeureux représentants se trouvent présentement ici pour recevoir les donations. *Heil Hitler !*

Le discours patriotique achevé, ils exigèrent une tournée de bière en prévenant qu'en cas de refus ils feraient une petite démonstration de force et, pour donner du poids à leur propos, ils expédièrent une mornifle au barman. Plus d'hésitation possible : mon tour était venu, c'était à moi de dialoguer avec les bébés. Après tout, j'étais payé pour ça.

Tandis que je m'avançais vers les bébés du quatrième Reich en prenant mon air le plus conciliant, la chance fit que je butai sur un obstacle invisible et que mon front fut projeté contre le groin du nazi qui venait de discourir. A dire vrai, je n'ai jamais été intéressé par la pédiatrie mais je sais qu'avec les bébés il faut agir vite, et c'est pourquoi, pendant que je le consolais de ses dents perdues par une succession de coups de genoux dans les testicules, j'entonnai le grand air nocturne des maîtres chanteurs de Hambourg en réclamant les flics.

Ils arrivèrent. Précédés par un hululement de sirènes, leurs mignons Walter neuf millimètres au poing. La première chose qu'ils virent, ce fut le bébé par terre. Crâne-rasé découvrait les délices du souffle coupé et, plié en équerre, il répondait par des coups de poing à toute tentative de le déplacer.

— Qui a agressé cet homme ? demanda un flic.

— Personne, dit le barman. Ce sont eux qui sont venus nous provoquer. Regardez la tête qu'ils m'ont faite.

— Il ment, pleurnicha un bébé. On est entré boire une bière et le Turc nous est tombé dessus.

— Eh ! toi, le Turc. Tes papiers ! commanda le chef.

— Pourquoi ?

— Parce que je te le dis, bouffi. Ça te paraît pas une bonne raison ?

Avec les poulets, mieux vaut ne pas discuter, et encore moins quand ils se présentent en groupe et qu'ils ont leurs armes braquées. En y mettant toute la lenteur requise, j'ai glissé une main dans la poche intérieure de ma veste et j'ai sorti le passeport en le prenant entre le pouce et l'index. Le flic a scruté attentivement la couverture bleue. Peut-être ses lacunes en zoologie l'empê-chaient-elles de savoir que l'oiseau de l'écusson chilien n'est pas une poule mais un condor, et que l'animal debout sur ses pattes de derrière n'est pas un lévrier mais un cerf américain.

— Pourquoi as-tu un passeport chilien ?

— Personne ne choisit le lieu de sa naissance.

— Je suis Allemand, moi, et ces cochons m'ont frappé, insista le barman. Faut peut-être que je leur dise merci pour la gifle ?

— Je suis témoin, renchérit Tatiana. Ils lui ont cogné dessus sans prévenir.

— Votre nom, dit le flic.

— Tatiana Janowsky. Citoyenne polonaise.

— Et vous n'avez pas peur de prendre froid ? s'informa le flic en désignant le string de Tatiana.

— J'allais juste présenter mon numéro de culturisme, quand cette bande de cochons a fait irruption.

— Il nous a insultés, vous êtes témoins vous autres, pleurnicha un autre bébé. On venait d'entrer dans la salle et le Canaque nous est tombé dessus.

Le flic qui menait la bande fit un geste pour réclamer le calme et refila mon passeport à un subordonné.

— Voyez si cet oiseau-là est net et demandez une ambulance pour l'autre, ordonna-t-il en indiquant le bébé qui geignait toujours par terre.

— Alors, c'est quoi ta version de l'affaire ? dit-il en se tournant vers moi.

— Ils sont arrivés en insultant l'établissement, ils ont frappé le barman et, quand j'ai voulu les prier de se retirer, j'ai trébuché et je me suis cogné à ce monsieur. Je suis vraiment désolé. C'est un hasard.

— Naturellement. Et s'il est en train de se mordre les couilles, c'est parce qu'il a le hoquet. Désolé, mais va falloir nous suivre. Question de routine.

— Pourquoi ? s'interposa Big Jim. Il n'a fait que protéger la réputation de l'établissement.

— Qui c'est encore, celui-là ? s'étrangla le flic.

— Big Jim Splash. Le baiseur télépathique. Américain, l'informa le barman.

— Couvrez-vous, ou je vous arrête pour attentat à la pudeur. Allez, on embarque le Chilien, conclut le flic.

L'affaire prenait une tournure franchement désagréable. La flicaille allemande est terriblement sensible quand on lui bousille ses points de repères. Ils avaient un cas clair et net de trouble de l'ordre public, avec un coupable turc servi sur un plateau, mais le Turc n'était pas turc et il avait même un Allemand pour témoigner en sa faveur. Mauvaise affaire, semblait se dire le flic, et il ne fallait pas être très malin pour deviner ses intentions : il voulait me voir faire deux ou trois heures de cellule, avec les quatre bébés valides comme compagnons d'infortune.

— Tends les mains, dit-il en me montrant les menottes.

Il faut savoir perdre. J'obéis et, à ce moment précis, on entendit la voix de l'homme au fauteuil roulant. Il s'exprimait avec un fort accent suisse, sans bouger de son box.

— Officier, s'il vous plaît, approchez-vous. Je crois que je peux aider à régler ce malentendu.

Pendant que le flic se dirigeait vers l'infirme, les brancardiers entrèrent. Ils examinèrent le bébé en esquivant ses ruades et ses coups de poing.

— Plusieurs dents fichues et fracture probable de la cloison nasale. Le reste, les radios le diront, murmura l'un, et ils l'emportèrent sur la civière, toujours plié en deux.

Le flic en chef revint du box. Je lui présentai mes mains mais il les ignora.

— Le passeport, dit-il au subordonné qui avait consulté mon pedigree.

— Il est net, l'informa l'autre.

— On se tire. Et vous, les enfants, allez vous amuser ailleurs, conseilla-t-il aux bébés.

— Et moi ? insista encore le barman. Et ma plainte ? Ils m'ont frappé.

— Si vous voulez porter plainte, passez au commissariat. Bonsoir.

Ils partirent. C'est alors seulement que le patron du Regina se risqua hors de son bureau. Ce mec était un monument vivant au courage.

— Tu as eu la main trop lourde. Cogner, d'accord, mais cette fois, tu as été trop loin. Ces scandales portent préjudice à l'établissement et font fuir les clients.

— Votre aide ne pouvait être plus opportune. Merci.

— Et qu'est-ce que tu voulais que je fasse ? Je n'aime pas avoir des problèmes avec la police.

— Merci quand même.

Le barman se caressait la figure avec un glaçon. Il eut une expression de mépris quand le patron regagna le calme de son bureau.

— Tu bois quelque chose ?

— Un Jack Daniel's avec de la glace, mais pas celle sur laquelle tu es en train de baver. Tu as encore mal ?

— Un peu. Tu as très bien fait. Tu as condamné ce salaud à bouffer de la bouillie et à se moucher par le trou du cul. Dommage que tu lui aies pas écrabouillé les bijoux de famille. Je n'ai pas vu de sang sur sa braguette.

— Personne n'est parfait.

— Le client du box t'appelle.

Je me dirigeai vers le box. Les Bavarois avaient filé après l'incident, de sorte qu'il était l'unique client. Je lui donnais soixante ans, il avait à peine touché au champagne et fumait un gros cigare. A mon approche, le chien sortit de sous la table et me montra les dents.

— La paix, Canaille. Une coupe ?

— Je ne sais pas ce que vous avez raconté au flic, mais je suppose que je dois vous dire merci.

— Oublie ça. Je peux te tutoyer ?

— Le client est roi.

— Pas mal, ton exhibition.

— La chance existe. Des fois oui, des fois non.

— Juan Belmonte : tu sais que tu as un nom de torero ?

— Je vois que vous connaissez mon nom.

— Je sais beaucoup de choses sur toi. Beaucoup.

Qu'est-ce qu'un infirme comme toi fricote dans un lieu comme celui-ci ? La question s'imposait, devant ce vieux. Il était assis dans un fauteuil roulant doté de nombreuses commandes, et la partie supérieure de son vêtement était de bonne coupe. Ce vieux-là ne s'habillait pas avec les soldes de C&A. Il exhibait des mains petites et très soignées. A l'Opéra, il serait passé inaperçu, mais dans un cabaret mal famé comme le Regina, il semblait complètement déplacé. Je sentis qu'il m'examinait sans quitter son sourire cynique. Le chien, lui aussi, m'observait.

— Vous m'avez appelé. Qu'est-ce que vous voulez ?
— Avoir un petit entretien avec toi. En privé, s'entend.
— Vous trouverez un club gay à dix mètres d'ici. Je regrette, mais c'est pas ma tasse de thé.
— Une pédale, moi ? Mon Dieu ! Me faire enculer en fauteuil roulant ? Je ressemblerais à une pelle mécanique. Et avec la verge en batterie, on me prendrait pour un tank. Mon Dieu !

Il eut une crise de fou rire qu'étouffa une violente toux de fumeur. Le chien, alarmé, eut un grognement menaçant.

— La paix, Canaille. Ce n'est rien. Il faut qu'on parle, Belmonte.
— Ça dépend du sujet.
— De ton passé, par exemple. Ne me déçois pas. Je sais que tu es chilien et les Chiliens sont de grands parleurs. Je crois qu'ils tiennent ça des Indiens. Les Mapuches choisissaient leurs chefs dans des concours d'éloquence.
— Les Suisses aussi sont de grands parleurs. Mais ça ne m'intéresse pas de parler de mon passé ni du vôtre.
— Mon accent est si fort ? Tant pis. Il s'agit de causer travail.

Travail. Ce n'était pas la première fois que quelqu'un me contactait pour me proposer un « travail simple, sans complications, il s'agit de transporter quelques paquets jusqu'à Berlin, tu piges ? Un peu de poudre blanche, un détergent très fragile. »

— J'ai un travail et il me plaît. Arrêtons-nous là. Bonsoir.

— Attends. Si tu fais un pas, Canaille t'arrache les parties. Tu vas travailler pour moi, Belmonte. Je sais de toi tout ce qu'on peut savoir. Absolument tout. Tu ne me crois pas ? Je vais te donner un exemple : il y a deux semaines, tu as fait un virement de cinq cents marks à Veronica.

Le doigt, la main entière dans la plaie. J'allongeai les bras dans l'intention de le soulever avec son fauteuil roulant et tout le bataclan, mais le chien s'interposa, prêt à me sauter à la gorge.

— Tu vas me dire qui tu es, paralytique de merde ?

— Tu vois bien qu'on peut causer ? Du calme, Canaille. Tu vas travailler pour moi et je te garantis que tu ne le regretteras pas. Voici ma carte. Rendez-vous demain matin à dix heures. Allons-y, Canaille.

Je le vis repousser la table et faire rouler son fauteuil jusqu'à la sortie. Le chien, échine hérissée et tous crocs dehors, protégeait sa retraite. Je pris la carte. On y voyait un voilier et ces trois lignes :

Oskar Kramer

Lloyd Hanséatique

Enquêtes Outre-mer

L'infirme m'appela de la porte :

— Belmonte ! J'allais oublier : joyeux anniversaire !

La salle resta vide. Je revins au bar. La sueur me coulait dans le dos. L'infirme connaissait mon point le plus vulnérable. Il fallait que je réfléchisse rapidement. Si quelque chose m'avait permis de tenir jusqu'à ce jour, c'était la certitude que Veronica se trouvait à l'abri, en sûreté dans son pays construit d'oubli et de silence. Si l'infirme était au courant de son existence, cela voulait dire que mon nom, mes coordonnées, mes déplacements, mes habitudes n'avaient pas été oubliés par la machine mangeuse d'hommes. Quelqu'un lisait les lettres qu'on m'envoyait de Santiago, se tenait au courant de l'état de Veronica, faisait peut-être des commentaires avec ses collègues dans un bureau secret. Ce même quelqu'un lisait aussi mes lettres, les mots, les phrases d'amour que, mois après mois, j'envoyais pour qu'on les pose sur les genoux de Veronica, dans l'espoir qu'un jour, tout d'un coup, miraculeusement, elle me réclame et que la vie prenne à nouveau un sens. Et dans ce bureau secret, les employés de la machine devaient rire de mes mots, faire des plaisanteries obscènes en buvant de la bière et en alimentant le dossier qui contenait le reflet de chacun de mes mouvements.

— Le boss te réclame, dit le barman.

L'homme se tenait dans un fauteuil derrière son bureau. Il tournait le dos à des dizaines de photos d'artistes de cabaret. Il alla droit au but.

— Je n'ai pas aimé ton comportement.

— Vous me l'avez déjà dit.

— Je ne parle pas des skins. Je parle de l'infirme. J'ai tout vu.

— C'est une affaire privée.

— Je me bats l'œil de tes affaires privées. L'infirme a arrangé l'histoire avec la police. Et toi, tu as essayé de le frapper. Tes services s'arrêtent ici. On ne peut pas menacer ou frapper quelqu'un qui a de bonnes relations avec la police.

— Je suis renvoyé ?

— Passe demain prendre ton compte.

Foutue journée. Tout m'était tombé dessus. Quand je regagnai le bar, la salle avait pris un peu d'animation grâce à une douzaine de touristes japonais. Je regardai l'heure. Presque minuit. Il était temps que ce maudit jour d'anniversaire se termine.

— Donne-moi mon dernier Jack Daniel's, dis-je au barman.

— J'ai tout entendu. Quel salaud ! Je te préviendrai si j'entends parler de quelque chose.

— Bonne chance, le Turc, murmura Big Jim.

— Merci, les enfants.

Dehors, il pleuvait à seaux. Je remontai le col de mon imperméable et pris la direction du port. Je devais agir, prendre les devants, anticiper sur les événements, mais je ne savais pas par où ni quoi commencer. Soudain, tandis que je marchais collé aux murs, je sentis le poids des pièces de monnaie dans ma poche. Bienheureuse habitude que celle d'avoir toujours de la monnaie sur soi. Bienheureuse habitude que celle de garder toujours ouvertes les possibilités de communication. Je m'enfermai dans la première cabine téléphonique.

Deux zéros et vos désirs s'envolent dans l'espace, et là un satellite les emmagasine, évidence absolue de l'avenir scientifique qui attend l'humanité. Deux numéros encore, et vous les faites passer de l'espace à la côte la plus australe du Pacifique, un autre numéro les dépose dans la ville de Santiago et le cliquètement des cinq derniers les conduisent jusque dans la salle de séjour d'une maison.

— Allô ? Señora Ana ? Oui, c'est moi. Je vais bien, très bien. Et Veronica ? Pas de changement, oui. Pas de changement. Oui, s'il vous plaît. Allez voir si elle est réveillée.

Des pas. Une porte grince dans ma mémoire. Il faudrait huiler les gonds. Resserrer les charnières.

— Elle est réveillée ? S'il vous plaît, mettez le téléphone près d'elle. Veronica ?

Je l'entendis respirer régulièrement et je ne lui dis rien. Que pouvais-je lui dire ? C'est moi, Juan, mon amour, je te parle, même si je sais qu'aucune voix ne t'atteindra tant que tu seras perdue dans le labyrinthe de l'horreur. Pourquoi n'en sors-tu pas, Veronica ? Pourquoi ne suis-tu pas l'exemple obstiné de ton corps qui a émergé de la mer des disparitions au bout de deux ans, deux ans au cours desquels la machine a essayé de le détruire ? Ton corps nu sur une décharge de Santiago. Veronica, mon amour.

— Juan. C'est inutile.

— C'est bien, señora Ana. Je voulais seulement savoir comment elle va.

— Comme toujours. Elle ne parle pas. Elle n'entend pas. Elle n'arrête pas de regarder quelque chose, qu'elle seule peut voir. Juan… Qu'est-ce qui se passe ?

— Pourquoi me demandez-vous ça ?

— Il y a quelques heures, un de vos amis a appelé pour s'informer de la santé de Veronica. Il a dit que vous appelleriez aussi, et que vous ne deviez pas oublier votre rendez-vous de demain. C'était bien un ami, Juan ?

— Oui. Un bon ami. Un grand ami.

Agir. Passer à l'offensive. Que voulait l'infirme ? Désespéré, je cherchai son numéro de téléphone dans l'annuaire. Il n'y était pas. Et au moment où j'allais appeler les renseignements, une violente douleur me tordit le ventre.

J'ai peur. C'est une bonne chose. La peur pousse à se préparer pour l'action. Tu fonctionnes encore, Juan Belmonte. Tu fonctionnes. Je me répétai cela tout en marchant sur les trottoirs déserts.

De la rue, je vis que mon appartement était éclairé. Ça ne pouvait pas être l'infirme qui m'attendait en haut. L'immeuble n'a pas d'ascenseur. Je montai les escaliers quatre à quatre et, arrivé devant la porte, j'enlevai ma ceinture. J'ouvris et, la tenant à deux mains, j'allai jusqu'à la salle de séjour. Le petit râblé au passe-montagne bleu dormait, affalé.

— Tu es bien installé ?

Le petit râblé fit un bond.

— Merde alors ! J'ai dormi. Mes excuses, patron.

— Tu es ici depuis combien de temps ?

— Depuis ce soir huit heures. On n'a pas pu réparer le chauffage et je vous ai apporté un radiateur électrique. Je me suis assis un instant pour vous attendre et je me suis endormi. Mes excuses.

Je le vis se lever, empoigner la caisse à outils et marcher vers la porte d'un air malheureux. Il n'était pas seulement petit, il était trapu, et il n'avait pas plus de cou qu'une moule.

— Je ne veux pas vous déranger, mais…

— Mais tu dois reprendre le radiateur. Vas-y.

— Non. Je ne vais pas vous laisser sans chauffage. J'ai raté le dernier métro et j'habite loin, très loin.

— C'est bien. Reste. Je te donnerai une couverture.

— Vous avez fêté votre anniversaire ?

— Si on peut dire.

Alors le petit gros ouvrit la caisse à outils et en sortit une bouteille de vin. Il me la montra, tout heureux, comme on brandit un trophée.

— On la vide ? suggéra-t-il.

— Il y a des verres à la cuisine, répondis-je, en me souvenant d'un proverbe qui dit que la solitude est la pire des conseillères.

Quatre. Berlin :
le réveil d'un guerrier.

Frank Galinsky ouvrit la porte de l'appartement et affronta la solitude. Il alluma la lumière de la salle de séjour et les rectangles vides qui remplaçaient les tableaux lui parurent injustes et obscènes. Sans meubles, la pièce semblait immense. Il alluma partout et parcourut la maison. Dans la chambre de Jan, seules des affiches de rockers lui rappelaient qu'il y avait quelques jours à peine son fils y habitait encore. En refermant la porte, il découvrit un os en caoutchouc. Que devenait Blitz, le berger, sans son jouet ? Helga avait tout emporté, les meubles, Jan et même le chien. Il envoya l'os valser d'un coup de pied et se dirigea vers la cuisine. Là se trouvait le peu de mobilier que lui avait laissé Helga : un lit pliant, une table et une chaise. Triste patrimoine, et plus triste encore dans la cuisine, où il dormait pour économiser le chauffage.

Il plaça la chaise devant la fenêtre, sortit une boîte de bière d'un sac en plastique et, les pieds sur le radiateur, regarda la rue. Bientôt, le premier tramway allait s'arrêter devant la station encore déserte. Bientôt, il allait faire jour. Bientôt, l'incomparable printemps berlinois allait arriver. Bientôt…

En réalité, tout allait trop vite dans la vie de Frank Galinsky.

D'un seul coup, il était devenu citoyen de la République fédérale d'Allemagne, et cela sans qu'il ait eu besoin de passer à l'ennemi, parce que, d'un seul coup, la République démocratique allemande avait disparu. Elle s'était dissipée en fumée, évanouie, dégonflée sans peine et sans gloire, un événement absolument dépourvu de la mise en scène formidable et mégalomaniaque qui avait caractérisé son existence comme nation. Les Allemands de l'Est, leur euphorie brutalement retombée après s'être gavés de bananes, apprenaient à se mettre à l'unisson de la vie heureuse que pendant quarante ans, de l'autre côté du mur, ils avaient entendue, supposée, flairée. Maintenant il s'agissait de tout exiger, de tout demander, de tout avoir. Même leurs caprices gustatifs obéissaient à ce besoin de satisfaire leur curiosité réprimée. Ils ne se contentaient plus d'une simple glace au chocolat ou à la vanille. Non. Maintenant, ils réclamaient des parfums exotiques : ananas, mangue, papaye, fruit de la Passion. Jusqu'à son propre fils qui l'avait pris au dépourvu en lui demandant si on faisait des glaces à l'avocat. Oui. Tout avait changé d'un seul coup, et c'était loin d'être terminé.

Frank Galinsky alluma une cigarette blonde, américaine, comme on pouvait en acheter partout. Américaine. Pas une de ces saloperies qu'on avait fumées pendant quarante ans et qui n'étaient que du foin. Une chance que le Major soit venu le chercher, car lorsque les choses changent à un tel rythme, il est bon de pouvoir se mettre du côté de ceux qui décident de la direction des changements.

A la chute du mur de Berlin, premier chapitre de l'extinction silencieuse de l'État prolétarien, Galinsky avait d'abord ressenti un désarroi qu'il n'avait pas tardé à reconnaître comme de la peur, mais une peur différente de celle qu'il avait éprouvée dans ses « missions internationalistes » en Angola, à Cuba, au Mozambique ou au Nicaragua. En qualité d'officier de l'Armée populaire allemande et plus encore d'officier des services spéciaux, il avait appartenu à l'élite qui avait bénéficié des faveurs de l'État, et il n'y a pas de peur plus affreuse que celle qui vous gagne quand on ne sait pas comment ni quand on va payer la facture des faveurs qu'on a reçues.

Du jour au lendemain, les anciennes institutions ont disparu. L'armée de la RDA s'est dissoute, uniformes et médailles ont été troqués contre de solides marks fédéraux sur les marchés aux puces, et les militaires ont été mis en disponibilité pendant qu'on enquêtait sur leurs activités au service du défunt régime communiste.

Être en disponibilité voulait dire rester un suspect, être atteint d'une maladie contagieuse, avec quarantaine obligatoire, dont les premiers symptômes n'ont pas tardé à se manifester : ses anciens amis et camarades lui ont tourné le dos, ceux-là mêmes, les salopards, qui, chaque fois qu'il partait en voyage, faisaient la queue pour lui demander de leur rapporter telle ou telle chose introuvable à l'Est.

La maladie n'a pas épargné Helga qui avait perdu son poste de professeur en arts plastiques parce que, vous comprenez, Frau Galinsky, les activités de votre mari font l'objet d'une enquête, alors si vous acceptiez de coopérer avec les autorités d'occupation, pardon, de réunification, et de donner des renseignements sur certains aspects de l'activité de votre mari qu'il a peut-être oubliés…

Peu après, la maladie a frappé l'appartement, avec l'apparition d'un personnage entouré d'hommes de loi et de policiers.

— Quel propriétaire ? Cet appartement est à moi. J'ai des actes qui le prouvent. C'est l'État qui me l'a vendu.
— Chiffons de papier, Herr Galinsky. L'immeuble a été construit illégalement, le terrain appartient au client dont nous sommes les mandataires. Vous pouvez voir ici les copies des certificats qui l'attestent. Ils datent de la République de Weimar. *Time is money*, Herr Galinsky :

ou vous signez un bail, ou nous entreprenons les démarches pour obtenir votre expulsion.

L'argent du chômage suffisait à peine au loyer, de sorte qu'Helga a dû travailler comme vendeuse dans une boutique de fringues, tandis que Galinsky serrait les poings chaque fois qu'il passait devant le bureau de l'Agence pour l'emploi.

Nom : Frank Galinsky. Age : quarante-quatre ans. Profession : militaire. Indiquez les études ou les spécialisations : instructeur de plongeurs sous-marins. Professeur d'arts martiaux. Langues : espagnol, portugais, russe et anglais. Intéressant. Ah ! Mais vous êtes en disponibilité. Nous vous aviserons. Quand votre cas sera éclairci.

A quoi peut donc encore être bon un ex-officier des services spéciaux de la RDA, à quarante-quatre ans ? Galinsky s'est répété la question pendant six mois, toujours assis à la même fenêtre de la cuisine, en buvant de la bière de la même marque, le regard perdu sur la même station de tramway de l'autre côté de la vitre.

C'est par cette fenêtre qu'il a vu, un soir, la BMW s'arrêter devant la porte. Un individu élégant, cheveux gris soigneusement dépeignés, en est descendu pour faire le tour de la voiture et ouvrir la portière de sa passagère. Helga est apparue. En souriant, elle a échangé avec l'individu des phrases que Galinsky ne pouvait entendre. L'homme ne cessait de lui caresser le bras, puis il lui a baisé la main pour lui dire au revoir.

— Comment s'appelle ton chauffeur ? J'ignorais que la boutique avait un service de transports, a lancé Galinsky en guise de salut tandis qu'Helga accrochait son manteau.

— C'est le propriétaire du magasin. Un homme plein d'attentions.

— Trop. Il ne se gênait pas pour te peloter.

– Ne sois pas vulgaire.

– Et toi, ne sois pas putain. Le droit de cuissage a disparu avec le féodalisme. Mais peut-être que tu as aussi oublié l'histoire ?

Alors Helga l'a dévisagé de ses grands yeux bleus, avec une froideur accusatrice. La femme a détaché ses paroles, comme si elle les avait répétées au cours de longues nuits d'insomnie :

– Non. Je n'ai pas oublié l'histoire. Au contraire : je la comprends enfin. Au cas où tu l'ignorerais encore, je viens de travailler, de gagner l'argent qui, entre autres choses, sert à payer ce maudit appartement, pendant que toi, tout ce que tu fais, c'est boire de la bière et geindre toute la journée. Cet homme qui vient de me déposer est mon patron, il a pour moi des plans d'avenir formidables. Il va ouvrir une succursale et il me propose de la diriger. Tu comprends ? Il s'agit de mon avenir, de celui de Jan, et peut-être aussi du tien.

La main ouverte de Galinsky s'est abattue sur le visage de sa femme. Il l'a vue vaciller, se raccrocher au dossier d'une chaise et tomber avec elle. Son premier mouvement a été de l'aider à se relever, mais Helga l'a repoussé d'un geste.

Elle s'est mise debout, a remis de l'ordre dans ses vêtements et s'est enfermée dans la chambre à coucher.

Galinsky a essayé d'entrer, mais la porte était fermée à clef.

– Helga, je te demande pardon. Je ne voulais pas te faire de mal, Helga.

Quelques minutes se sont écoulées avant que la femme ouvre la porte. Elle tenait à la main un petit sac de voyage.

– Qu'est-ce que ça veut dire ? Où vas-tu ?

– Ça ne te regarde pas. Laisse-moi passer.

– Helga, je t'ai fait des excuses. Ne sois pas rancunière.

– Je ne le suis pas, Frank. Je te suis même reconnaissante. Tu m'as donné l'élan qui me manquait. Je te laisse, j'emmène l'enfant. J'y ai longuement réfléchi et si je ne l'ai pas fait avant, c'est qu'il me restait encore des vestiges de fidélité, de solidarité et de toutes ces conneries qu'on nous a mises dans la cervelle. Mais je sais qu'il faut gagner, coûte que coûte. Dans l'Allemagne nouvelle, il n'y a pas de place pour les perdants. C'est ça la vérité, la seule vérité.

— Fais un pas, rien qu'un pas, et je te casse la figure.

— Touche un seul de mes cheveux et je dénonce tes liens avec le terrorisme. Tu me prends pour une idiote ? Tu crois que je ne sais pas qu'ils enquêtent sur ton passé ? Tu as oublié tes voyages en Afrique et en Amérique Centrale ? Laisse-moi passer, Frank. C'est la meilleure solution pour tous les deux.

— Fous le camp ou je te tue.

Helga est partie. Au bout d'une semaine elle est revenue en compagnie d'un avocat pour prendre ses affaires, celles de l'enfant et le chien. Il ne l'a plus revue pendant cinq mois, jusqu'au jour où un juge l'a convoqué pour régler les formalités du divorce.

A quoi peut donc être bon un ex-officier des services spéciaux d'une armée qui a été battue sans livrer la moindre bataille ? Galinsky n'a cessé de se répéter la question et il se la posait toujours quand, deux heures plus tôt, un homme s'est assis à côté de lui alors qu'il attendait sur un banc la sortie de l'école de Jan.

— Pourquoi faire cette tête, Galinsky ? Personne n'a de raisons d'être triste, dans l'Allemagne réunifiée. C'est par ces mots que le Major l'a salué.

Galinsky n'avait jamais été un intime du Major, mais il le connaissait depuis la fin des années soixante-dix, époque à laquelle l'officier dirigeait une académie militaire clandestine où l'on inculquait les techniques du sabotage, des cours de renseignement et de logistique, à plusieurs dizaines de révolutionnaires africains et latino-américains destinés à devenir les officiers des

futures forces armées de leurs pays respectifs. Il était
alors instructeur des Latino-américains.

– Quelle surprise ! Comment allez-vous, Major ?
– Très bien. Tu peux affirmer la même chose ?
Galinsky l'a observé avec attention. Il devait friser la
soixantaine, mais il paraissait plus jeune sans le grossier uniforme gris souris. Il portait un manteau noir de
bonne coupe et ses mains étaient revêtues de gants en
fine peau de chevreau. Il répandait un subtil parfum
d'after-shave de bonne marque et affichait la confiance
en soi de l'homme qui est du côté du manche.

– Je vais mal, Major. Très mal.
– Je suis plus ou moins au courant. Mais je veux
connaître ta version.
Vieux singe, a pensé Galinsky. Cette rencontre ne doit
rien au hasard, et il me fait le coup classique. Ils sont la
légion des meilleurs guerriers, des plus éprouvés, des
hommes exemplaires, capables d'accomplir n'importe
quelle mission sur le front, et puis, quand arrive l'heure la
plus difficile, celle où il faut envoyer un homme à travers
les lignes ennemies, les héros se transforment tous en
lavettes. Alors on va trouver le traînard, celui qui ne se dis-
tingue pas aux premiers rangs et qui, à la fin de la bataille,
enfonce son épée dans un cheval mort pour montrer qu'il
y a du sang dessus. Confie-moi tes problèmes, lui dit l'officier. Oublions les grades. Parlons d'homme à homme. Et
l'autre se déballonne, il dévoile ses côtés faibles à l'officier
qui fait semblant d'écouter leur énumération. Sans le
savoir, il passe un examen. A la fin, toutes les preuves de
bon sens qu'il a pu donner dûment transformées en péchés,
il reçoit l'offre généreuse de se racheter, de se réhabiliter
par la pénitence, laquelle consiste en un pèlerinage derrière les lignes ennemies. Il est recommandé de choisir les
volontaires parmi les moins doués pour l'action héroïque,
ceux qui ont été les plus touchés par les effets de la guerre
dans la société civile. Une belle ordure, ce Clausewitz.

– Je suis au bout du rouleau. En disponibilité. Sans travail. Divorcé. Et je dois abandonner mon appartement dans deux semaines. *Kaputt*, Major, *Kaputt*.

– Je sais. Mais ta situation peut changer, Frank Galinsky, mon vieux camarade de la section latino-américaine. Es-tu disposé à exécuter une mission ?

– N'importe quoi, pourvu que je sorte de ce merdier.

– Sans poser de questions ?

– Un soldat n'a pas besoin de connaître autre chose que sa destination et son objectif.

– Ta situation est déjà en train de changer, Galinsky. Demain, nous aurons un dîner d'affaires. Je viendrai te prendre à huit heures précises sur notre chère Alexanderplatz, sous l'horloge qui indique les heures du monde entier.

Frank Galinsky a salué son fils en lui ébouriffant les cheveux. Il a pris le sac de l'enfant et l'a jeté sur son épaule. Ils ont franchi ainsi à pied les cinq blocs qui séparaient l'école de l'appartement d'Helga. En le laissant devant la porte, il l'a pris dans ses bras.

– Jan, tu te souviens que je t'ai promis qu'on irait en vacances en Espagne ? On va y aller, et bientôt.

– C'est vrai ? Est-ce qu'il y a des camps de pionniers en Espagne ? Et Blitz ? On pourra l'emmener ?

– Naturellement. Le chien viendra avec nous.

Après avoir quitté Jan, il a continué de marcher dans les rues. Il était euphorique, il sentait que la vie recommençait. Soudain, il a vu son reflet dans une vitrine.

– Tu es devenu une épave, camarade, une véritable épave. Si tu veux redevenir ce que tu as été, il faut commencer tout de suite, a-t-il marmonné, et il s'est lancé dans une course qui l'a mené jusqu'aux berges de la Wannsee.

Il a couru en faisant des cercles le long du lac, jusqu'à ce que la nuit tombe sur Berlin, jusqu'à ce que la dernière maison riveraine éteigne ses lumières, jusqu'à ce que ses muscles crient grâce, jusqu'à ce qu'il soit sûr qu'il était encore capable de dominer et de vaincre son corps, jusqu'à ce qu'en regardant sa montre, il s'aperçoive qu'il était quatre heures du matin.

Quand il s'est arrêté, son corps ruisselait de sueur. Il avait expulsé par tous les pores la honte de la défaite.

Cinq. Hambourg :
une promenade au bord de l'Elbe.

Une crampe me réveilla. En cherchant ma jambe droite contractrée, j'ouvris les yeux et vis que j'étais sur le canapé. Juste à côté sur la table basse, il y avait un thermos, des petits pains frais et un pot de confiture.

— Bonjour, patron, dit le petit gros. Sans passe-montagne et les cheveux mouillés, il paraissait encore plus petit. Il venait manifestement de prendre une douche.

— Quelle heure est-il ?

— Sept heures et demie, patron. Je crois que le vin vous a assommé, cette nuit. Vous êtes tombé raide, et je n'ai pas voulu vous déranger. Je vous sers du café ? Il y a des petits pains frais.

— Tu as dormi où ?

— Sur votre lit, patron. Mais je n'ai pas sali les draps. Je ne voulais pas vous déranger. Maintenant, je me tire, l'ingénieur va arriver d'un moment à l'autre. Aujourd'hui, c'est sûr, votre chauffage sera réparé. Au revoir.

Il mit le passe-montagne bleu, empoigna la caisse à outils et se dirigea vers la porte.

— Attends, tu as bien un nom, quand même ?

— Pedro de Valdivia. Enfin, pour dire vrai, je m'appelle Pedro Valdivia, mais j'ai rajouté le « de ». Ça fait plus chic. Vous trouvez pas, patron ?

— Super. Écoute, Pedro de Valdivia. Je veux te demander un service.

— Vous n'avez qu'à parler.

— Il se peut que quelqu'un téléphone pendant que tu

seras là. Si on me demande, dis que je suis parti en voyage hier et que tu ne sais pas quand je rentre. Et si quelqu'un vient, pareil. Tu comprends ?

— Des problèmes de femme, patron ?

— Pire. Tu peux faire ça pour moi ?

— Vous êtes parti hier et personne ne sait quand vous revenez.

— C'est ça. Merci, vieux frère.

Sous la douche, je me livrai à une analyse méthodique de la situation : a) L'infirme n'était pas de la police, les flics en fauteuil roulant, ça n'existe qu'au cinéma. b) Il avait de bonnes relations avec la police, ce qui voulait dire qu'il était quelqu'un de haut placé, même sans préjuger de l'altitude exacte. c) Outre ses rapports avec les flics, il avait également des contacts avec le service de défense constitutionnel, la police politique de l'Allemagne fédérale. Seul celui-ci pouvait lui avoir donné des renseignements sur mon compte, ce qui était confirmé par le fait qu'il était au courant de l'existence de Veronica. J'ai toujours su qu'en ma qualité d'exilé j'étais dans la mémoire de Big Brother, mais je n'avais pas imaginé qu'on pouvait me trouver assez important pour s'intéresser à mes virements postaux et à ma correspondance. J'étais ce qu'on appelle un homme transparent. d) L'infirme ne faisait pas partie de la police politique, puisqu'il m'avait donné rendez-vous dans les bureaux d'une compagnie d'assurances et que, même en supposant que ceux-ci ne soient qu'une façade du service, il n'avait pas de raison de brûler une couverture en la dévoilant à un individu comme moi. Et puis si la police politique avait besoin de moi, comme indicateur, par exemple, elle ne serait pas venue me chercher dans un lieu public. Conclusion : aucune. Qu'est-ce que l'infirme pouvait me vouloir ?

Dans la rue, je m'aperçus que cela faisait bien longtemps que je n'avais pas vu la lumière du matin. Il allait être bientôt neuf heures. Je sortis de ma poche la carte de l'infirme et je vis qu'elle ne portait aucune adresse. Cela me déplut. Le vieux avait lancé l'unique appât auquel je pouvais mordre : Veronica, mais il me donnait un rendez-vous sans préciser l'endroit. Quel jeu jouait-il ? Je trouvai l'adresse de la Lloyd Hanséatique dans un annuaire du téléphone. Ce n'était pas loin, sur le port, et je décidai de marcher jusque-là.

Chemin faisant, je découvrais la ville d'un œil neuf. Il faisait froid, les troncs des arbres sans feuillage étaient imprégnés d'une mousse verte, presque brillante, intensément verte, aussi verte que les toits de cuivre des constructions typiquement hambourgeoises. La ville me plut. Elle me plut, comme des retrouvailles avec quelqu'un qui vous a protégé, abrité, parfois réconforté, et j'eus de la peine à l'idée que j'allais peut-être m'envoler.

Cette douleur n'était pas une nouveauté. Je me souvins du plaisir que j'avais eu à vivre à Carthagène, après mon dernier échec politique. J'étais correcteur dans un journal, ce qui me permettait de profiter des merveilleux crépuscules des Caraïbes, jusqu'à ce qu'un soir, deux individus me barrent le chemin avec, pour argument, deux canons de pistolet braqués sur mon ventre.

Je suis fait, ai-je pensé, en les prenant pour des membres d'un escadron de la mort auquel, pour une raison ou une autre, on avait livré mon nom.

— Du calme, mec. C'est rien, a dit l'un.

— « Quelqu'un » t'invite à prendre un verre. Et comme tu le connais pas, on va t'y mener. Fais pas de salades, mec, a dit l'autre.

Les gorilles m'ont conduit dans un restaurant en plein centre de Carthagène. Là, j'ai été accueilli par un homme qu'ils appelaient « monsieur ». Il m'a offert un verre de Chivas, que j'ai refusé.

— Vous n'aimez pas le whisky ?

— Je ne bois que du Jack Daniel's avec de la glace.

L'homme s'est tourné vers les gorilles.

— Hé, vous autres, un commandant sandiniste qui boit

du whisky gringo ! Qu'est-ce que vous dites de ça ?

— Le Chivas, c'est une boisson de mecs, a expliqué l'un.

— En Colombie, on est tous des mecs. C'est pas comme ça, dans ton putain de pays ? s'est informé l'autre.

— Chez nous, c'est moitié mecs, moitié gonzesses. Entre les deux moitiés, on s'entend plutôt bien.

Les gorilles ont accusé le coup, bafouillé un « va te faire foutre » mais leur patron les a fait taire.

— J'aime bien les hommes qui ne se laissent pas marcher sur les pieds. Mais trêve de conneries. Écoutez-moi, Belmonte, Juan Belmonte – vous parlez d'un nom, le même que celui du torero d'Hemingway –, écoutez-moi : il y a quelqu'un « là-haut », un gros bonnet, qui veut que vous travailliez pour lui. Vous connaissez Medellín ? C'est une jolie ville et les dollars y coulent à flot, mais il faut y mettre un peu d'ordre. Le gros bonnet pense qu'un homme qui a votre expérience est tout indiqué. Vous me comprenez.

— Je peux réfléchir ?

— « Là-haut », ils disent que vous y avez déjà réfléchi.

— Bien sûr. J'avais oublié. Et quand dois-je partir pour « là-haut » ?

— Demain. Ces jeunes gens vous tiendront compagnie jusque-là. « Là-haut », ils ne veulent pas vous perdre.

Bénis soient les cinq commandements de la clandestinité qui facilitent les mouvements de ses enfants bien-aimés, leur permettent de savoir quels sont les bars qui ont des chiottes avec des fenêtres, leur font louer des boîtes postales dans lesquelles ranger leurs papiers et leurs quelques objets de valeur, les incitent à garder en permanence un billet d'avion acheté à l'avance sur la compagnie nationale pour la grande ville la plus proche, leur a appris à bien prononcer leurs nom et prénom pour qu'il n'y ait pas de surprises sur la liste des passagers et leur recommandent d'avoir toujours une gentille putain dans leur manche, avec qui ils sont généreux sans rien lui demander d'humiliant en échange.

Noble petite putain. Elle m'a aidé à quitter Carthagène à bord d'un *tramp steamer* qui naviguait dans les eaux des Caraïbes. Laissant derrière moi le golfe de Darién pendant que les gorilles m'attendaient à l'aéroport de Bogotá, j'ai dit adieu à Carthagène et au rêve de vivre au bord de la mer, tranquille et oublié, comme dans le poème de Gil de Biedma : tel un noble ruiné parmi les ruines de mon intelligence.

C'est vrai que ça me faisait mal au cœur d'abandonner les Caraïbes mais, entre se voir transformé en sicaire des narcotrafiquants ou en trophée de chasse de militaires colombiens posant à côté du cadavre d'un terroriste étranger, la vie nous donne toujours une troisième possibilité : nous évanouir en fumée.

Putain d'existence. L'heure était peut-être venue d'abandonner Hambourg. J'avais un billet « open » pour le Costa Rica et deux mille dollars en liquide dans ma boîte postale. Je pouvais aller n'importe où, mais le problème c'était Veronica, toute seule, à Santiago, sans rien, pas même elle-même.

– J'arrive, Oskar Kramer. Tu me tiens dans ta gueule. Tu connais peut-être ma vie sur le bout des doigts, mais il y a quelque chose que tu ignores : je sais perdre et, par les temps qui courent, c'est une grande qualité. Sur ce, je pris la direction de l'immeuble de la Lloyd Hanséatique.

« Règle élémentaire avant le combat : le guérillero sait qu'il affrontera un ennemi supérieur en armes. Il doit frapper d'un seul coup, très fort, de façon définitive, et se replier immédiatement. Il doit aller au combat calmement, détendu, avec la certitude que donne l'analyse correcte du rapport de forces. Penser à la nature aide à trouver la sérénité qui est indispensable au guérillero. Général Giap. »

Branleur de Vietcong, connard, va te faire voir avec

tes boniments. Mais je suivis son conseil. Au bout de quelques pas, une averse s'abattit sur moi et je décidai de courir pour me détendre, tout en rêvant d'un parapluie. Je m'achèterais un parapluie japonais, un modèle de la nouvelle génération, équipé d'un capteur qui, dès qu'il détecterait que son maître s'éloigne de plus d'un mètre, se mettrait à crier « ne m'oublie pas » de sa voix de robot. Est-ce qu'un phénomène pareil existait ? Les Japonais étaient vraiment des demeurés s'ils ne s'étaient pas préoccupés d'inventer un ustensile aussi nécessaire. Le parapluie imperdable. Le parapluie avec alarme. Le parapluie qui refuserait de s'ouvrir entre des mains étrangères.

Allons. J'arrivais à penser à autre chose, mais l'air de Hambourg était toujours imprégné d'une odeur que je connaissais bien : l'odeur nauséeuse de la fuite.

L'huissier de la Lloyd Hanséatique, la plus grande compagnie d'assurances maritimes, selon la plaque de bronze de l'entrée, me regarda avec l'intérêt que l'on accorde à un étron dans un caniveau.

— Bonjour. J'ai rendez-vous avec Herr Oskar Kramer.
— Vous parlez allemand ?
— J'ai rendez-vous avec Herr Kramer. A dix heures.
— Je vous ai demandé si vous parlez allemand.
— Je n'ai pas l'impression qu'on est en train de parler zoulou.
— Vos papiers.
— Kramer m'attend à dix heures.
— Vos papiers.

Je lui tendis mon passeport chilien et il le flaira d'un air dégoûté. Quand il eut déchiffré mon nom, il chercha sur une liste.

— Vous avez rendez-vous à dix heures avec Herr Kramer.
— Voyez-vous ça. Quelle agréable surprise !

— Vous vous croyez malin ? dit-il en me fusillant du regard.

J'acceptai le défi et me mis à suivre les reflets de la rue dans ses yeux. Ainsi Kramer se trouvait bien dans un bureau de l'immeuble. Il m'avait donné sa carte sans adresse, certain que je la chercherais. L'homme baissa les yeux en faisant semblant de consulter quelque chose sur son bureau. Il me fit de la peine. Un plouc frustré, minable dans son modeste uniforme bleu de petit employé. Ce qu'il aurait voulu, ce type, c'était un uniforme dégoulinant de dorures, montrant bien qu'il était l'homme qui décidait de qui entrait ou n'entrait pas dans l'immeuble de la Lloyd. Il se mit à noter les coordonnées de mon passeport en le feuilletant avec une expression où la stupéfaction avait remplacé le dégoût.

Je lui bousillais ses schémas. Comment osait-on appeler passeport cette espèce de carnet orné d'une héraldique incompréhensible, avec deux animaux ressemblant à un poulet et à un rat sur ses pattes de derrière à la place du puissant aigle aux ailes déployées ? Oui. Je lui bousillais ses schémas. Il se demandait peut-être comment un individu de toute évidence étranger pouvait se promener dans le monde sans avoir un passeport turc.

— Attendez là-bas. A dix heures moins cinq, je vous donnerai un badge de visiteur, aboya-t-il en m'indiquant un coin dans le hall.

Je m'installai confortablement dans un fauteuil de cuir et allumai une cigarette. Après avoir promené mon regard sur la table et sur l'inévitable plante verte, je le reportai sur l'huissier.

— Je vous ai dit d'attendre là-bas.

— Du calme, Fritz. Vous avez un cendrier ?

— Il est interdit de fumer et je ne m'appelle pas Fritz !

— Dans ce cas, nous avons trois problèmes : un, vous ne vous appelez pas Fritz, qui est un nom charmant ; deux, j'irai fumer dehors ; et trois, vous devrez sortir pour m'appeler quand il sera dix heures moins cinq.

Tout en fumant devant l'entrée de l'immeuble, je découvris que j'étais extraordinairement calme. Ce Kramer, quel qu'il soit et quoi qu'il fasse, était sans aucun doute un personnage puissant, et pourtant je n'avais pas peur de lui. Il faut parfois faire face à des situations sans issue. Kramer savait tout à propos de Veronica. Savoir c'est pouvoir, a dit McLuhan, et une telle combinaison s'ajoutant à la possibilité de faire le mal est plutôt terrifiante. J'avais peur pour elle, mais j'étais calme comme une image. Soudain, je me sentis dans la peau du personnage du *Champion* de Ring Lardner, un boxeur qui se trouve devant la nécessité de gagner un combat, pas pour lui-même mais pour une légion d'êtres sans défense qui dépendent de ses poings.

J'écrasais mon mégot quand l'huissier m'appela en tambourinant sur la glace de la porte.

— Herr Kramer vous attend. Bureau cinq cent cinq. Mettez le badge de visiteur à un endroit visible, dit-il en me tendant le rectangle de plastique que je glissai dans ma poche.

Je pris une cigarette en attendant l'ascenseur.

— Je vous ai dit qu'il est interdit de fumer, brama l'huissier depuis son poste.

— Je ne fume pas.

— Et mettez le badge à un endroit visible.

— Cette veste est en flanelle anglaise. Je n'y épingle pas n'importe quoi. Que dirait la reine ?

— Le règlement doit être appliqué.

— Tout à fait d'accord, Fritz, dis-je en entrant dans l'ascenseur.

Le bureau de Kramer était vaste et froid. Sur un mur, il y avait un panneau de liège avec des papiers punaisés. Sur la table, on ne voyait qu'un téléphone noir, un modèle à cadran. La lumière au néon contribuait à l'ambiance glaciale. D'un geste, il m'indiqua la seule chaise disponible.

– Belmonte, Juan Belmonte. Je me demande pourquoi on t'a donné ce nom. A ma connaissance, les Chiliens ne sont pas amateurs de taureaux.

– Ils ne m'intéressent pas non plus. C'était de ça que vous vouliez me parler ?

– Non. Pour détendre l'atmosphère, je commencerai par dire que je vais jouer franc jeu, aussi franc que mes intérêts me le permettent. Comme tu le sais déjà, mon nom est Oskar Kramer et je suis citoyen helvétique. D'après mon contrat de travail, j'exerce la profession de chef du département des enquêtes outre-mer de la Lloyd Hanséatique. Auparavant j'étais policier, à Zurich, jusqu'au jour où j'ai reçu une volée de plomb dans la colonne vertébrale sur ordre d'un trafiquant d'armes.

– Triste histoire. Quel rapport avec moi ?

– Tu vas le savoir. Chaque chose en son temps. Les Suisses sont réputés pour leur lenteur, mais j'essaierai de ne pas être trop typique. Juan Belmonte. Comme le grand torero. Mes relations avec la police allemande sont vraiment bien utiles. Sais-tu que ton dossier est classé avec les IPD, individus potentiellement dangereux ? On m'a communiqué une copie de ton curriculum. Intéressant, Belmonte. Très intéressant. Guérillero en Bolivie pendant l'offensive de l'Armée de libération nationale dans le Teoponte. Guérillero urbain au Chili. Participation à plusieurs braquages de banques, ou plutôt « expropriations », pour respecter l'argot militant. Continuons. Participation à plusieurs attentats terroristes pendant les premières années de la résistance contre le régime du général Pinochet. Autre détail intéressant : service militaire dans le corps des commandos de l'armée chilienne. Deux séjours à Cuba, tourisme en Angola et au Mozambique. Guérillero au Nicaragua. Brigade internationale Simon Bolivar. Plus tard, commandant sandiniste. C'est une vie trop intéressante pour un videur de bordel, et qui porte en plus un nom de torero. Je continue ?

– Continuez, Big Brother. Dites-moi maintenant ce
que vous savez de Veronica.

– Presque rien. J'ai bluffé en la nommant, j'admets
que c'est moche. Je suppose que je dois m'excuser.

– Vous avez dit que vous joueriez franc jeu. Crachez
tout ce que vous savez sur Veronica.

– Comme tu voudras. Son dossier est mince : jusqu'en 1973, militante des jeunesses socialistes. Arrêtée
en octobre 1977 par les services de la direction nationale des Renseignements à Santiago. En janvier 1978
elle a été donnée pour disparue mais, en juillet 1979,
des clochards l'ont trouvée sur une décharge au sud
de la capitale chilienne. Un rapport médical de la
Commission de défense des droits de l'homme révèle
qu'elle a subi toutes les formes de torture. Depuis le
jour de sa réapparition, elle est totalement dépendante.
Une autre expertise médicale parle d'une forme de schi-
zophrénie plus connue sous le nom d'autisme. Suivent
l'adresse actuelle, le numéro de téléphone, et enfin l'in-
dication qu'elle est le seul contact que tu aies gardé au
Chili. Il y a des photocopies de toutes les lettres que tu
lui as écrites. C'est tout.

– Qui sont les salauds qui collectionnent mes lettres ?
La police ordinaire, ou le niveau au-dessus ?

– Je joue également franc jeu avec eux. Je ne peux
pas le dire, mais…

– Continuez. Jusqu'à maintenant, je ne vois toujours
pas ce que vous attendez de moi.

– … mais je peux détruire les deux dossiers et je t'as-
sure qu'il n'y a pas de copies.

– Vous bluffez. Vous savez qu'on ne peut rien contre
Veronica. La dictature est terminée au Chili, et même si
elle était encore au pouvoir, il n'y a jamais eu de
charges contre elle.

– Elle, non. Pas directement. Mais qu'est-ce qui se passera si je m'arrange pour que tu sois expulsé d'Allemagne ? Elle dépend de toi. De l'argent que tu envoies. Je
t'ai fait suivre, Belmonte. Tu mènes une vie spartiate. Tu

vas jusqu'à rouler toi-même tes cigarettes. Quant à Veronica, j'ai appris qu'elle n'avait personne que cette tante qui la garde. Ana, je crois. Admirable, cette loyauté envers une femme que tu n'as pas vue depuis 1973, en supposant que vous ne vous soyez pas rencontrés en cachette pendant ta vie clandestine au Chili. Admirable.

— Vous me fatiguez, Kramer. Dites-moi une fois pour toutes ce que vous attendez de moi.

— Chaque chose en son temps. On va faire une promenade. Tu pousseras le fauteuil roulant, comme ça j'économiserai les batteries, et pendant ce temps je lancerai l'hameçon au bout duquel se trouve un appât suffisamment alléchant pour que tu finisses par y mordre.

Nous sortîmes de l'immeuble. L'huissier se confondit en sourires en me voyant en compagnie de Kramer et de l'affreux chien qui sautait de joie à la perspective d'une promenade. Nous suivîmes la berge de l'Elbe et je me dis qu'il suffirait d'une légère poussée pour le faire disparaître dans la purée d'immondices.

La promenade se prolongea jusqu'aux jardins de Blankenesse. Tout en suivant des yeux les bateaux qui entraient et sortaient du port, Kramer me parla de fortunes, de trésors artistiques, de collections d'objets d'une valeur incalculable perdus avant, pendant et après la fin de la Deuxième Guerre mondiale. Je l'écoutais en luttant contre la tentation de le balancer dans la flotte. Le chien était apparemment doué de télépathie car il suivait chaque pas que je faisais en montrant les crocs.

— Et les grands perdants, dans ces histoires de fortunes perdues, Belmonte, n'ont pas été leurs propriétaires, mais les compagnies d'assurances. Le dernier coup de feu tiré, en 1945, la guerre froide a débuté, même si les historiens veulent que tout ait commencé avec la construction du mur de Berlin. En 1945, la division de la carte de l'Europe en deux parties, une rouge et une blanche, a eu, pour les compagnies d'assurances, l'effet d'une guillotine s'abattant sur la série de pointillés qui jalonnaient le chemin menant à beaucoup de ces trésors perdus. Mais elles savaient toutes que, tôt ou tard, les maillons de la chaîne finiraient par se réunir et par reformer la continuité logique qui conduirait au dénouement, qu'inévitablement les cercles se refermeraient.

— Vous parlez chinois. Je ne comprends rien.

— D'accord. J'abrège : pendant plus de quarante ans, de chaque côté du mur de Berlin, ont été conservées des moitiés d'histoires avec la certitude que ceux qui possédaient l'autre moitié, et qui étaient séparés par le mur, attendraient patiemment que vienne le moment propice pour les recoller. Ce moment est arrivé avec la débâcle du monde socialiste. Les cercles ont commencé à se refermer, mais à une vitesse si vertigineuse qu'elle menace de les transformer en spirales.

— Vous me cassez les pieds, Kramer. Vous avez dit que vous joueriez franc jeu et vous n'arrêtez pas de me bombarder de paraboles auxquelles je ne pige rien. Vos foutus cercles peuvent se refermer ou rester ouverts, je m'en balance complètement. Et dites à votre sale clebs d'arrêter de se frotter contre mes jambes. Vous ne le lavez jamais ?

— L'hygiène de Canaille est son problème personnel. Pousse-moi jusqu'à ce café. Je n'ai pas pris mon petit déjeuner.

A cette heure, le café Au bord de l'Elbe était vide. Nous nous installâmes à une table près d'une fenêtre. Dehors, les bateaux continuaient à passer. Sur beaucoup d'entre eux les matelots étaient dehors, affairés aux manœuvres d'appareillage. Je les enviai. Ils atteindraient bientôt Cuxhaven et la liberté de la pleine mer. Kramer commanda des pots de café et des œufs frits. Le chien eut droit à une énorme saucisse.

— Mange, Belmonte. Pendant ce temps, je te raconte-

rai une histoire qui te permettra de comprendre pourquoi j'ai besoin de toi. Écoute : A l'époque où la chute
du mur de Berlin n'était plus qu'une simple question de
temps, tous les Allemands de la partie orientale faisaient
la fête avant l'heure, défilaient en criant « Nous sommes
un seul peuple » et préparaient leurs papilles aux délices
du Coca-Cola – tous, sauf un, un petit vieux que nous
appellerons Otto, toute l'Amérique du Sud connaît les
blagues de Don Otto, n'est-ce pas ? Donc notre Otto,
ex-membre des SS hitlériennes puis héros du travail de
la RDA, a négligé les festivités et s'est planté comme
un poteau en face du légendaire Check Point Charlie.
Inamovible comme les sentinelles des temps anciens. Il
a attendu malgré les crampes, malgré son envie de pisser, jusqu'à ce qu'arrive le moment historique où les
Vopos se sont mis à vendre leurs uniformes et leurs
décorations aux journalistes. La RDA venait de mourir
et, tandis que les Berlinois des deux côtés se précipi-
taient pour s'embrasser et démolir le mur par tous les
moyens, même avec les ongles, notre Otto, lui, s'est rué
dans la première cabine téléphonique occidentale qu'il a
trouvée, a fait l'indicatif des renseignements, demandé
le numéro de la Lloyd Hanséatique, appelé, et exigé de
parler au grand patron. Je suppose qu'Otto a dû être
quelque peu déçu en s'entendant répondre : « Rappelez
demain », mais un homme qui a attendu plus de quarante ans pour abattre ses cartes ne peut plus perdre de
temps. Otto a insisté. Il a dit : « Allez chercher le directeur chez lui, où vous voudrez, et dites-lui seulement :
Kunsthalle, Brême, 1945. Il comprendra. Je rappellerai
dans une heure. »

Paroles magiques, Belmonte. A onze heures du soir,
le grand patron de la Lloyd faisait son apparition en
pyjama. Moins de deux heures plus tard, Otto posait ses
fesses sur les coussins d'une limousine qui l'a conduit à
Hambourg, et à six heures du matin il était reçu en
grande pompe par le directeur et une flopée d'historiens
de l'art et d'experts. Cette nuit-là, des employés de la

Lloyd n'ont pas dormi. Nous y voilà, Belmonte. Otto a
accepté un café et a dit : « Vous cherchez la collection
d'art perdue de la Kunsthalle de Brême. Je sais où elle
est. Parlons de la prime. » Au cas où tu l'ignorerais, il
s'agit d'une magnifique collection de tableaux évalués à
quelque soixante millions de dollars. « D'après les
recherches que nous avons faites, elle se trouve probablement à Moscou », a dit un historien. Sans s'émouvoir, Otto a continué : « C'est possible. Mais une partie
seulement », puis il a raconté comment il avait participé
à la disparition des tableaux. Une fois réglée la question
de la prime, il est devenu plus loquace. Une partie
importante de la collection se trouvait à Asunción, au
Paraguay, gardée par un ex-compagnon d'armes SS
dont l'identité et l'adresse valaient de l'or en Israël.
Pour donner du poids à ses propos, Otto a produit des
photos qui, malgré leur très mauvaise qualité, ont fait
trembler d'émotion les experts.

Otto a commencé à voir la vie sous une couleur résolument rose. Il s'est envolé pour l'Amérique en compagnie de cadres de la Lloyd et d'experts artistiques.
Au-dessus de l'Atlantique, il a dû réfléchir à ce qu'il
ferait avec l'argent de la prime et aux vertus de la
patience mais, en atterrissant à Asunción, ses rêves ont
continué la descente tout seuls et il s'est retrouvé en
enfer. Les journaux paraguayens annoncèrent la mort
tragique d'un membre distingué de la colonie allemande
résidant à Asunción. Apparemment, il avait été victime
d'un accident dans sa baignoire. Un séchoir à cheveux
malencontreusement branché était tombé dans l'eau et
l'avait expédié dans l'autre monde. Un accident. Tu
comprends ?

— J'ai vu quelque chose de ce genre dans un film de
James Bond. Avec un ventilateur. Et les tableaux ?

— Personne, à ce jour, ne sait où ils sont. Ils réappa-
raîtront peut-être. Le plus probable est qu'ils finiront
dans la cave climatisée d'un quelconque cheikh collectionneur.

— Et la fin de l'histoire d'Otto ?

— Je ne crois pas qu'il l'ait trouvée drôle. Nous lui avons payé son billet de retour et l'avons remis à la police. Après tout, en 1945, il avait été le complice d'un vol qui avait lésé les intérêts de la Lloyd. Tu as compris la morale de l'histoire ?

— Rien ne sert de courir, il faut partir à temps. Vous êtes arrivés trop tard au Paraguay. Mais je ne comprends toujours pas pourquoi vous me racontez tout ça et ce que vous attendez de moi.

— J'ai besoin de ton intelligence et de ton expérience. Pour enquêter. Pour ne pas arriver trop tard au Paraguay ou ailleurs.

— Vous êtes cinglé. Les enquêtes, je n'y connais rien. Je suppose qu'une compagnie comme la Lloyd travaille avec les meilleurs détectives. Et dites à votre chien de merde de foutre la paix à mon pantalon.

— Je crois que tu lui plais. Tes suppositions sont exactes. Nous avons les meilleurs détectives et les meilleurs enquêteurs, mais ce sont des rats de bibliothèque ou de laboratoire. Ils travaillent avec des ordinateurs. En réalité, découvrir l'endroit où se trouve une œuvre d'art ou un objet précieux n'est pas tellement difficile. C'est une question de patience. Les vraies difficultés commencent après, avec les marchandages, les pots de vin, les règles qu'impose la loi de l'offre et de la demande : ce sont elles, en définitive, qui décident si l'objet change ou non de mains. Mais tout ça vaut pour les temps normaux, et comme tu le sais, Belmonte, les temps ont changé à toute vitesse. Les règles du jeu aussi. Aujourd'hui, il s'agit d'enquêter à partir d'un très petit nombre de pistes, il s'agit de ratisser, de déterrer certaines histoires, et d'agir. Ne fais pas cette tête, j'arrive à l'essentiel, en ce qui te concerne. Tu ne t'imagines pas, personne ne peut imaginer les fortunes que nous avons réussi à récupérer en Amérique du Sud. En plus de quarante ans, nous avons établi les règles de la négociation avec les hommes du Troisième Reich sau-

vés par l'Odessa Connection. Un travail ardu et lent, de
bureaucrates, qui était possible parce que nous dispo-
sions de temps. Mais aujourd'hui, avec la fin des frontières qui bouclaient les habitants du monde socialiste,
rien n'empêche plus les détenteurs de beaucoup de
secrets d'aller retrouver ce qu'ils considèrent comme
leur bien. Et comme la plupart de ces dépositaires de la
vérité sont déjà vieux, soit ils vendent leurs secrets au
meilleur prix, soit ils se lancent eux-mêmes sur la piste.
Ils veulent leur part du gâteau.

— Je ne comprends toujours pas ce que je fais dans
votre histoire.

— Pense à un individu comme Mengele. Proscrit et
réclamé par la moitié du monde, il n'en a pas moins joui
d'une existence légale et heureuse entre le Brésil et le
Paraguay. Les Juifs n'ont jamais pu prouver devant un
tribunal brésilien ou paraguayen que ce vieillard à l'allure bonasse photographié des milliers de fois était bien
l'Ange de la Mort. Alors ils ont essayé de lui mettre la
main dessus par d'autres moyens, comme ils l'ont fait
pour Adolf Eichmann à Buenos-Aires, mais sans résul-
tat. Ils ont envoyé plusieurs commandos pour enlever
ou liquider Mengele, mais ceux-ci ont tous échoué, et
tu sais pourquoi ? Parce qu'ils ne connaissaient pas les
secrets de l'illégalité sud-américaine. Toi, en revanche,
tu connais la question, Belmonte. Tu es un maître dans
l'art de la clandestinité. Un ex-guérillero du Cône sud
n'est pas le personnage romantique et vaincu que décrivent les rapports politiques de la social-démocratie.
Avec le capitalisme triomphant, ses connaissances sont
aujourd'hui une science provisoirement exacte et nécessaire. Ce que je veux de toi, donc ? Ton expérience.

L'infirme se tut et me contempla d'un air suffisant.
Et j'avais eu peur de cet idiot ? On peut dire que je
m'étais mis le doigt dans l'œil. Si Kramer, avec ses
idées ridicules sur les guérilleros, jouissait du respect de
la police politique, voilà qui expliquait pourquoi ils

n'étaient jamais arrivés à retrouver les fugitifs de la bande Baader-Meinhoff.

— Mon expérience ! Vous ne savez pas de quoi vous parlez. Vous ne comprenez rien à rien. Je ne nie pas que j'ai été mêlé à quelques aventures, mais elles ont échoué, Kramer. Échoué ! Allez faire un tour à Paris ou à Berlin et des guérilleros à la retraite, vous en trouverez des centaines.

— Je sais. Mais il y a une différence entre un homme qui s'est battu dans la forêt et un homme qui connaît tous les terrains. Tu sais que la police antiterroriste allemande considère l'attentat contre Somoza comme un bijou ? Ils l'étudient. Cinq hommes qui arrivent à s'introduire dans le pays le plus surveillé de l'Amérique du Sud, le Paraguay, où un habitant sur quatre est un indic de la Sécurité. Ils font entrer des armes dans le pays, y compris deux lance-roquettes, se postent sur le passage de Somoza et le liquident. Et ce n'étaient pas des Nicas, Belmonte. Ils venaient du Cône sud. C'étaient des mecs comme toi. J'ai passé beaucoup de temps à chercher un ex-Tupamaro, un ancien de l'ERP, un homme comme toi : un de ces hommes qui ont appris les langues, les techniques du sabotage, de la clandestinité, l'art de se rendre invisible, qui ont fait le tour du monde et qui ont laissé un réseau de contacts dans chaque pays.

— Vous êtes cinglé, Kramer. Vous êtes en plein roman. L'homme dont vous avez besoin s'appelle Iván Illitch Ramírez. Je vous fais cadeau de l'information.

— Le légendaire Carlos ? Ne crois pas que je n'ai pas pensé à lui. Malheureusement c'est devenu un petit vieux. Après son expulsion du Liban, il est allé en Syrie avec son harem d'Allemandes. De fameuses fornicatrices, les dames de la Fraction Armée Rouge. Elles en ont fait un infirme. Terminons. Tu vas travailler pour moi. Pas pour la Lloyd. Pour moi.

— Non. Ni pour la Lloyd, ni pour vous. C'est tout ?

— Oui. Encore un détail. Il faut que tu saches que la

police a reçu un appel anonyme qui l'a mise sur la piste d'un trafic de coke. Pendant que tu attendais dans le hall de la Lloyd, on a perquisitionné chez toi. Sale affaire, Belmonte, tu es complice, et un dénommé Valdivia a résisté par la force aux agents. Sale affaire. Tu avais deux mille dollars dans ta boîte postale ? Ils ont été également saisis. Dans un cas comme celui-là, c'est normal. Ne sois pas nerveux. Canaille aime les amis cool.

— Vous avez pensé à tout, espèce de salaud.

— C'est bien normal. Les Suisses détestent être pris au dépourvu. C'est une déformation nationale. Et maintenant, partons. Nous allons rentrer tout doucement. La police a besoin de temps pour reconnaître une erreur.

— Qu'est-ce que je dois faire ?

— Partir. Direction le Chili. Tu rentres au pays, Belmonte. Et n'essaie pas de déserter. Tu sais très bien que les mécanismes d'extradition entre ton pays et l'Allemagne fonctionnent à merveille.

— Vous avez gagné, provisoirement. Mais vous me paierez ça, Kramer. Je ne sais pas comment, mais je vous écraserai.

— Tu as vu *Casablanca* ? A la fin du film, le policier français dit à Rick : « Je pense que de tout cela peut naître une belle amitié. »

Six. Berlin :
dîner d'affaires.

Galinsky et le Major montèrent dans un taxi sur l'Alexanderplatz. Un rideau de pluie mêlée de neige ralentit la marche du véhicule en direction de la partie occidentale de la ville. Il s'arrêta devant le Candy, l'un des bons restaurants de Charlottenburg. Ils entrèrent. Le maître d'hôtel s'avança pour les saluer.

– Bonsoir, Herr Direktor. Votre apéritif habituel ?
– Naturellement. Installe-toi confortablement, Galinsky. Ils préparent les meilleurs martinis de Berlin.
Galinsky acquiesça de la tête. Il attendit que le maître d'hôtel s'éloigne avant de demander :
– Vous êtes un habitué ?
– Je dîne ici de temps en temps. Et pour le « directeur », c'est aussi exact. Je fais partie du directoire d'une société immobilière qui a des bureaux tout près.

Un garçon apporta les martinis. Ils burent. Le Major offrit une cigarette.
– Comment te sens-tu, Galinsky ?
– Bien, maintenant. Jusqu'à hier, je n'arrêtais pas de penser à un psychologue militaire qui nous parlait de l'aboulie comme d'un symptôme de la fatigue du combat. Je me sentais dans la peau d'un aboulique qui ne s'est pas battu. Bizarre, n'est-ce pas ?
– Tu as des projets ?
– Aucun. Chaque fois que j'essayais de réfléchir, j'étais écrasé sous le poids de la situation. Tout ce que

j'ai réussi à faire, c'est d'acheter une de ces publications
pour mercenaires, mais je ne l'ai même pas ouverte. La
disponibilité est un état insupportable.

— Tu n'as aucune raison de t'en faire. Les officiers
des services spéciaux comme nous sont intouchables.
La merde est trop générale et personne n'a intérêt à la
remuer, elle pourrait éclabousser trop de gens. Les seuls
qui soient vraiment dans le pétrin, ce sont les civils, les
mouchards qui ont travaillé pour la Stasi, les pauvres
diables qui ont vendu leur voisin. Cette chasse aux sorcières sera longue, mais on ne touchera pas à nous.

— J'aime bien votre optimisme, Major.

— Je sais de quoi je parle. Il n'y a rien de répréhensible
dans ton passé, Galinsky. Tu es allé à Cuba, tu as appris
à des plongeurs nicaraguayens comment désactiver des
charges en eau profonde. Et alors ? Les Nations Unies
ont condamné les Américains pour avoir miné les ports.
Tu as exécuté une mission humanitaire et personne ne
peut te condamner pour ça. Tu es également allé en
Angola et tu as instruit les miliciens qui, par la suite, ont
protégé les installations de la Shell. Au Mozambique, tu
as aidé à protéger le réseau ferroviaire et l'aéroport de
Maputo. Qu'est-ce qu'il y a de blâmable dans tout ça ?
Avant, tu avais donné des cours d'explosifs aux Chiliens
et aux Boliviens. Et alors ? Ils venaient de pays qui ont de
grandes ressources minières et on te les a présentés
comme des ouvriers qui avaient reçu une bourse de spé-
cialisation. Ce que tu as fait avec eux s'appelle de l'aide
au développement. Tu étais militaire, et toute ton activité
s'est déroulée dans le cadre légal. Tu as obéi, c'est tout.

Ils dînèrent somptueusement. Le Major choisit les
vins avec compétence et, après les desserts, tout en sirotant un cognac hors d'âge, il lui répéta qu'il n'avait pas
à craindre de sanctions ou de représailles.

— Naturellement, il faut bien que quelqu'un expie
toutes les fautes. Et ce quelqu'un sera un vieux gâteux

qui est en train de préparer ses valises. On va le laisser partir pour le Chili et il mourra là-bas, en exil. C'est la fin tragique qu'exige la dramaturgie allemande. Bois, Galinsky. A la santé de notre Secrétaire général, Président et dernier dirigeant prolétarien. Le pauvre vieux était si bête qu'il a fini par croire aux hommages qu'on lui rendait et qu'il avait lui-même ordonnés, aux statistiques et aux bilans de production qu'il inventait lui-même. Bois, Galinsky. Tu veux savoir combien coûte une bouteille de cognac ? L'équivalent de ce que toi et moi nous gagnions en un an. Mais ce temps-là est bien fini. Cette époque pouilleuse, c'est de la vieille histoire. Maintenant, le temps nouveau galope, et il travaille pour nous.

— Je voudrais bien voir les choses comme ça, moi aussi. Il y a une recette ?

— Affirmatif. Il y en a une, et d'abord se donner le seul objectif qui compte : être riche. Plus on est riche et mieux c'est. La richesse est un baume, et la pauvreté une question obscène. Réfléchis, Galinsky : quand le mur est tombé, nous croyions que les Occidentaux, les « Wessis », regarderaient notre pauvreté avec pitié, avec compassion, et que s'est-il passé en réalité ? Ils l'ont regardée avec dégoût, avec répugnance. Le discours officiel a décrété que nous étions tous égaux, mais nous savons que ça n'est pas la vérité. Quand un des nôtres, un minable « Ossi », consulte son poignet pour voir l'heure sur sa cochonnerie de montre russe, il sent que le temps lui a joué un mauvais tour, qu'il s'échappe à flots, qu'il coule à une vitesse impossible à suivre ; mais quand un « Wessi » regarde l'heure sur une Rolex incrustée de diamants, il comprend tout de suite que le temps lui appartient et qu'il en est le maître. Il faut se décider à être riches, Galinsky, et les hommes comme toi et moi sont dans les conditions idéales pour y arriver. Nous étions des communistes, par conséquent nous connaissons les règles du capitalisme. Et nous étions aussi des militaires, c'est-à-dire des individus qui ont été entraînés à surmonter les défaites.

— Excusez-moi, Major. Je ne vous suis pas.

— Qu'est-ce qui motive un militaire ?

— Tout ce qui me vient à l'esprit me semble stupide.

— Et ça l'est peut-être. C'est que tu es jeune, Galinsky. Tu as toujours été considéré comme un officier honnête parce que tu croyais tout ce qu'on te racontait. Mais moi, je suis un vétéran et je peux t'affirmer une grande vérité : la raison d'être d'un militaire est tout simplement le butin de guerre.

Ils burent un autre verre du délicieux cognac et quittèrent le restaurant pour faire un tour dans les rues de Charlottenburg. Galinsky sentait remonter en lui une mauvaise humeur qui risquait de compromettre l'effet de ce merveilleux dîner. Etait-ce pour cela que l'autre l'avait invité ? Pour philosopher dans un langage codé, à la morale étrange ? Pour lui démontrer qu'il pouvait appartenir au parti des vainqueurs, mais sans lui préciser comment ? Arrivés devant la grille d'un parking privé, ils s'arrêtèrent.

— Sésame ouvre-toi, dit le Major en introduisant une carte magnétique dans le portail automatique.

Ils pénétrèrent dans un garage souterrain. Ils passèrent entre deux files de voitures et arrivèrent devant une Mercedes décapotable. Le Major actionna une commande à distance et libéra les serrures des portières.

— Elle te plaît ? C'est mon joujou favori.

— Elle est à vous ?

— Rends-moi le service de conduire. Je suis un peu fatigué.

Ils sortirent du garage. Galinsky n'arrivait pas à y croire. Il était au volant d'une voiture de cinéma. Une Mercedes de sport. Les cadrans du tableau luisaient et les lumières de la ville se reflétaient sur le capot brillant. En suivant les indications du Major, il gagna la partie orientale de la ville, les quartiers faiblement éclairés bordés d'édifices gris et camards comme le socialisme qu'ils avaient représenté.

– Prends Unter den Linden. Comment tu traduis ça en espagnol ?

– *Bajo los Tilos. Avenida Bajo los Tilos*. Où allons-nous, Major ?

– Tu es en forme, Galinsky ?

– En quel sens, Major ?

– Dans le meilleur sens. J'ai une mission pour toi.

– A vos ordres. Je vous l'ai déjà dit hier.

– Comme au bon vieux temps. Seulement cette fois, si tu réussis, ça n'est pas une médaille en fer-blanc qui t'attend. C'est un quart de million de marks.

– Je ne me suis jamais senti aussi bien. A vos ordres, Major.

- Formidable. Continue sur Unter den Linden. On va voir les putes.

Les tilleuls qui donnent leur nom à l'avenue étaient aussi sinistres que les immeubles qui l'entouraient. En passant devant le mausolée des victimes du militarisme et du fascisme, le Major eut un ricanement.

Ils vendent tout, Galinsky. Combien de fois as-tu monté la garde devant le mausolée ? Elle nous en a donné des engelures, la patrie. Ils vont certainement y installer un restaurant de hamburgers. Ils pourront se servir de la flamme éternelle pour faires les frites.

Ils se garèrent près de la Platz der Akademie. Galinsky regarda la triste enseigne lumineuse de l'hôtel Charlottenhof. Le Major rit de nouveau.

– Ce vieux Charlottenhof. Ça doit te rappeler le temps où tu venais chercher les Latino-américains pour les conduire à la base de Cottbus. Celui qui achètera cet hôtel y trouvera une fortune en fils et en micros. La Stasi installait des micros pour chaque invité, nous posions les nôtres, et le KGB, la CIA, les Arabes, les Cubains, les Angolais… Il y a plus de micros que de briques. Je sais qu'il y a un britannique qui vient d'acheter les ascenseurs.

Galinsky fit chorus au rire du Major. Il riait, mais il ne pouvait s'empêcher de se rappeler certain jour de 1980. Ce matin-là, il était passé à l'hôtel Charlottenhof pour rencontrer une Nicaraguayenne. La femme était venue en RDA avec une délégation d'enfants qui ne pouvaient pas jouer : ce n'était pas l'envie qui leur en manquait, mais les mains. Peu avant la victoire des Sandinistes, la garde d'Anastasio Somoza avait coupé les mains de vingt gosses qui avaient lancé des pierres pendant l'insurrection de Masaya. Douze d'entre eux avaient survécu et étaient venus à Berlin pour recevoir des prothèses qui devaient leur permettre de jouer de nouveau. Les enfants l'avaient salué en levant leur moignon droit dans une horrible parodie du salut prolétarien. Galinsky avala sa salive et ne dit rien. Évoquer un souvenir comme celui-là, c'était jeter un baquet d'eau froide sur cette nuit joyeuse du bon temps qui commençait.

Ils poussèrent un large portail vétuste qui donnait sur un passage typiquement berlinois. De part et d'autre, des escaliers conduisaient aux ailes droite et gauche de l'immeuble. A côté de chaque escalier s'alignaient les boîtes à lettres et les compteurs électriques. Ils allèrent jusqu'à la porte qui donnait sur la cour. Galinsky connaissait bien ce genre de constructions. Dans cette cour, l'*Innenhof*, ils allaient trouver des blocs aux murs décrépis, aux balcons pendant dangereusement et, derrière les vitres d'une fenêtre pauvrement éclairée, la silhouette d'un vieux en train de lire ou de classer une collection de cartes postales.

A sa grande surprise, l'immeuble de la cour était à demi caché par des échafaudages auxquels étaient accrochés des panneaux publicitaires d'entreprises de construction occidentales. Le hall sentait la peinture fraîche et une voix venue de l'interphone les salua.

— Bonsoir. Qu'est-ce que vous voulez ?

— Boire un verre ou deux, répondit le Major. Et en bonne compagnie.

Un individu musclé les reçut dans l'entrée de l'appartement. Il reconnut le Major et s'excusa pour l'odeur pénétrante de peinture. Il les conduisit sans tarder dans une grande pièce. Là, accoudées à un bar américain, un groupe de femmes bavardait avec quelques clients. Il commandèrent deux gins.

— Ce bordel est le meilleur de tous ceux qu'on a ouverts récemment. Réjouis-toi, Galinsky. Il n'a rien à envier à ceux de l'autre côté. Le patron est de Munich et il a dépensé une fortune pour rénover l'immeuble. Qu'est-ce que tu penses des filles ? Il y en a pour tous les goûts. Regarde la mulâtresse. Tu pourras parler espagnol avec elle. Elle est cubaine. Mais où est ma geisha ?

A trois heures du matin, une épaisse couche de neige couvrait les rues de Berlin. Galinsky s'approcha d'une fenêtre et l'ouvrit pour recevoir l'air froid et vivifiant. Cela faisait deux heures qu'il étudiait les documents que le Major lui avait remis.

— Fatigué, Galinsky ? demanda celui-ci, de l'autre côté de la table.

— Non, Major. Impressionné par l'histoire.

— Très bien. Tu as deux jours pour préparer ton voyage.

— Le Chili. Je ne suis jamais allé dans ce pays.

— Il ne doit pas être très différent de Cuba. Nous fêterons ton retour dans le même bordel. Et ça sera toi qui m'inviteras.

— Ce sera un plaisir, Major. Un vrai plaisir, dit Galinsky, et il laissa sur le bureau un exemplaire du catalogue du musée numismatique de Zurich.

Sept. Hambourg :
un temps de réflexion.

Je laissai Kramer à l'entrée de l'immeuble de la Lloyd et partis dans les rues sans but précis. Je pensai d'abord à gagner l'Imbiss de Zelma, puis je voulus passer au Regina pour retirer l'argent qu'on me devait, mais finalement, désemparé, ce fut le besoin des quatre murs protecteurs qui s'imposa et je me retrouvai en train de monter l'escalier pour regagner ma tanière.

Le voisin de l'étage du dessous avait dû rester des heures collé à l'odieux orifice de son œilleton. Il attendit que je passe sur son palier pour ouvrir la porte et cracher :

— Écoutez. Nous voulons vous dire qu'ici, c'est une maison décente.

— Nous voulons ? Je ne vois pas le reste du chœur.

— Nous en avons parlé avec les voisins. Ce matin, la police est venue perquisitionner chez vous. Nous avons signé une pétition pour réclamer votre expulsion.

— Merci de m'avoir prévenu. J'adore les gens polis.

— Pourquoi vous ne retournez pas en Turquie ?

— Parce que je n'en ai pas envie. Parce que j'aime vivre entouré de salauds dans ton genre. Tu comprends ça ?

Pour donner du poids à ma réponse, je redescendis quelques marches et l'homme ferma la porte.

Chez moi, on se serait cru après le passage d'un cyclone. Tous les livres étaient par terre, les coussins des fauteuils ouverts à coups de couteau, et il ne restait pas grand-chose non plus du lit. Dans le lavabo, une pâte formée de dentifrice, de shampooing et d'eau de Cologne gargouillait son impuissance à passer dans le siphon. Dans la cuisine, le réfrigérateur béant éclairait une géographie de riz, de soupes en sachets et de vermicelles dûment piétinés. Sur le plancher de la salle de séjour, gisait la victime expiatoire : le radiateur électrique de Pedro de Valdivia exhibait ses fils coupés. La police avait fait du bon travail.

J'enlevai les coussins étripés et me laissai tomber sur les ressorts du canapé. Il faisait aussi froid qu'au dehors. Le chauffage ne devait toujours pas être réparé. Je pensai au petit râblé et à son passe-montagne bleu. Quand j'avais accepté la mission de Kramer, l'infirme m'avait certifié que Pedro de Valdivia serait remis en liberté sans qu'on retienne de charges contre lui, mais je sentais que je lui devais plus que de simples excuses.

— Demain tu recevras les billets, les dernières instructions et une avance pour tes frais, avait dit Kramer avant que nous nous séparions.

— Et la possibilité de vous faire un coup tordu. De vous entuber.

— Tu ne feras pas ça. Tu refuses encore de l'admettre, mais tu finiras bien par découvrir que ma proposition est inespérée. Tu vas gagner, Belmonte. Pour la première fois, tu vas tirer un bénéfice d'une aventure.

— Est-ce que vous savez même ce que ça veut dire, gagner ou perdre ?

— Plus que tu ne crois. Et n'oublie pas : tu travailles pour moi. Pour moi seul.

J'allais rentrer au Chili. J'avais vécu dans la crainte de ce moment. Si je craignais le retour, ce n'était pas parce que je n'aimais plus le pays, ou parce qu'il n'occupait plus de place dans mes neurones, mais parce que j'ai toujours été rebelle aux amnésies, surtout les amnésies décrétées pour cause de raison d'État, de pactes politiques, d'enlèvement des ordures.

Qu'est-ce qui m'attendait au Chili? Une peur épou-
vantable. L'incertitude quant aux réactions de mon esto-
mac, pour désigner par un euphémisme la région où se
loge notre âme.

Et puis là-bas, il y a toi, Veronica, mon amour, retran-
chée dans ton silence dont je n'ose m'approcher car je
sais que tu ne me laisseras pas y entrer.

Grâce à la vision reptilienne que me donnait ma position, j'avisai soudain l'exemplaire déchiré du *Voyage au
bout de la nuit*. C'était dans ce livre que je gardais la
seule lettre qui m'avait causé jadis toute la douleur que
peut cacher une bonne nouvelle. Je me relevai pour la
chercher entre les pages. Elle était toujours là, pliée en
quatre comme si elle avait froid, elle aussi.

« Santiago du Chili, 3 septembre 1982.

« Señor Juan Belmonte

« Vous ne me connaissez pas. Je m'appelle Ana Lagos
de Sánchez, et je suis la femme d'un disparu. Mon mari
Angel Sánchez a été arrêté le 22 mai 1974 à dix heures
du matin, au moment où il sortait de chez lui. Il allait
acheter du matériel dans une quincaillerie. Il était plom-
bier et avait quarante ans. Plusieurs personnes ont
assisté à son enlèvement dans une voiture sans plaques
et, depuis cette date, je n'ai eu aucune nouvelle de lui.
Angel était militant du parti communiste. Moi, je le suis
toujours. En cherchant mon mari, j'ai commencé à par-
ticiper activement au comité des familles de disparus.
Vous devez savoir que nous avons réussi à trouver les
tombes clandestines de beaucoup d'entre eux et que
parfois, pas souvent malheureusement, nous avons aussi
retrouvé quelques survivants, des enfants surtout.

« L'une de nos méthodes consiste à sortir de chez
nous très tôt, dès la fin du couvre-feu, pour aller sur les
dépôts d'ordures et autres terrains vagues qui entourent
Santiago. Nous faisons ça tous les jours. Je ne veux pas
vous donner de faux espoirs, mais je crois que nous
avons trouvé votre compagne, et vivante.

« Le 19 juillet 1979, une jeune femme a été découverte

sur la décharge de San Bernardo. Nous y sommes allées dès que nous avons été prévenues. Ce qui va suivre est très dur, Juan, mais je sais que vous êtes un homme courageux. Comme vous le savez, elle a été arrêtée en octobre 1977. Vous n'étiez pas au Chili. Le père de votre compagne, qui était veuf, a tout fait pour la retrouver jusqu'au moment où ses forces l'ont abandonné. Don Andrés Tapia est décédé en septembre 1978, après avoir obtenu de la justice chilienne qu'elle constate la disparition de Veronica Tapia Márquez. Notre comité a des photos de presque tous les disparus, et c'est grâce à l'une de ces photos que nous avons pu l'identifier.

« Elle est en bon état physique, Juan ; mais ils l'ont détruite psychiquement. Elle ne parle pas. Depuis que nous l'avons retrouvée, nous n'avons pas réussi à lui faire prononcer un seul mot. Qui peut savoir les horreurs qu'elle a subies pendant le temps où elle a été à la merci des militaires.

« Après l'avoir identifiée, nous avons cherché sa famille mais, comme vous le savez, Veronica n'avait que son père. Elle vit avec moi. Pour nous protéger mutuellement, j'ai dit qu'elle était ma nièce. Ça fait trois ans qu'elle vit sous mon toit, et elle a beau ne pas parler et rester tout le temps absente, j'ai appris à l'aimer comme ma fille.

« Mais j'ai fini par vous trouver. Il y a deux semaines, nous attendions le bus pour rentrer chez nous après être allées consulter un ami médecin qui soigne Veronica, quand un passant l'a reconnue. Elle n'est pas sortie de son silence, mais j'en ai profité pour demander à l'inconnu s'il était un ami de Veronica et s'il ne connaissait pas d'autres personnes qui l'avaient connue autrefois. L'homme avait peur. Ça se voyait. Il y a beaucoup de lâches, dans ce pays. J'ai insisté et, à toute vitesse, il m'a parlé de vous en disant qu'il savait que vous étiez exilé.

« Après, nous avons cherché des informations au comité des disparus. Le malheur rapproche, et nous avons heureusement des relations avec les Mères de la

Place de Mai, de Buenos Aires. C'est par elles que nous avons pu savoir où vous vivez.

« Je sais que vous ne pouvez et que vous ne devez pas revenir au Chili tant que durera la dictature. Je veux que vous sachiez que Veronica est en bonnes mains et que, même si elle ne sait pas où elle est, prisonnière, probablement, de l'horreur qu'elle a vécue, elle ne manque ni de l'affection ni de la solidarité des vaincus qui continuent à croire en l'amour.

« Je joins mon adresse et mon numéro de téléphone.

« Je vous embrasse, en cette période si difficile, et je vous demande de vous réjouir de la savoir vivante.

« Votre amie
Ana Lagos de Sánchez. »

C'est ainsi que Veronica est revenue, c'est ainsi que tu es revenue, mon amour, sur des photos que la bonne Ana m'a envoyées plus tard. Le même visage d'enfant, marqué par l'absence que distillaient tes yeux. Les longs cheveux semés de mèches grises que j'ai parcourus des doigts jusqu'à ce que l'image finisse presque par s'effacer, tandis que j'acceptais définitivement de ne plus vivre que pour toi, pour que tu puisses être bien soignée, et que je renonçais aux luttes qui m'appelaient du fond des forêts salvadoriennes et guatémaltèques. Vivre pour toi, pour que tu ne manques de rien, Veronica mon amour. En faisant n'importe quel travail, même le plus sordide, honteux d'avoir ri à Managua ce même 19 juillet 1979 où tu as réapparu, où tu as ressuscité sur une décharge de Santiago. Si tu savais comme je les ai haïes, mes mains qui, ce jour-là, se sont levées dans le ciel rouge et noir de la victoire sandiniste. Comme j'ai voulu rentrer tout de suite, et combien je me suis méprisé en me rendant compte que je ne voulais pas le faire pour toi, l'absente que tu es, mais pour venger la mort de celle que tu as été. Et maintenant, je reviens, Veronica mon amour, et j'ai peur, très peur, parce que la soif de vengeance détermine et dirige chacune de mes pensées.

Quelqu'un sonna à la porte et je préparai mes poings.
S'il s'agissait d'un de mes voisins si prodigues en conseils,
je lui ferais descendre l'escalier en crachant ses dents.

Pedro de Valdivia m'observait de son œil ouvert.
L'autre était enflé et orné d'un hématome violacé.

– Les flics ont mis le bordel, patron. Ils ont tout cassé,
dit-il en guise de salut.

– Je m'en suis aperçu. Entre.

– Je leur ai dit que vous n'étiez pas là et ils ne m'ont
pas cru.

– Les flics sont comme ça. Incrédules. Qui t'a amo-
ché l'œil ?

– C'est pas eux. Ils m'ont mis dans une cellule avec
un Norvégien soûl, qui voulait absolument me faire dan-
ser la danse de la pluie. Mais il a eu son compte, patron.
Je lui ai envoyé un coup de tête qui va le faire dormir
pendant plusieurs jours.

Le petit râblé contempla les dégâts en hochant la tête.
A la vue du radiateur étripé, il prit l'expression de Poly-
phème furieux.

– Salauds. Enculés. Ils ont bousillé le radiateur.

– Ne t'inquiète pas. Je le paierai.

– C'est pas ça que je veux dire, patron. Tout l'immeuble a le chauffage, sauf vous. Et il se mit à ramasser
les livres et les objets qui étaient par terre.

Tandis que Pedro de Valdivia s'adonnait aux joies de
remettre le monde en place après ce Big Bang policier,
j'allai dans la cuisine pour voir si les forces de l'ordre
avaient respecté une bouteille. J'avais de la chance. Ils
en avaient laissé une : de la tequila Cuervo, qui gisait à
côté des produits d'entretien.

– Laisse tomber. Buvons un coup.

– Du *pisco* ? Je peux descendre acheter des citrons, et
je vous fais un *piscosour*.

– C'est de la tequila. Une boisson d'hommes. *Salud !*

– Pas mauvais, le *pisco* mexicain, dit le petit râblé en clignant de son œil intact.

Deux heures plus tard, Pedro de Valdivia avait si bien rangé mon logis qu'on aurait cru qu'une escouade de femmes de ménage venait d'y passer. Je l'avais aidé sans grand enthousiasme, mais cela me faisait plaisir qu'il soit là. Le dernier flocon de mousse des coussins éventrés disparut en même temps que la dernière goutte de tequila.

– Demain, je viendrai avec du fil et une aiguille, et les coussins seront comme neufs, patron.

– Tu ne me demandes pas ce que voulaient les flics ?

– Les flics veulent toujours le pire.

– Ils t'ont mis au trou à cause de moi.

– Quelques heures. Le poisson n'a pas peur de l'eau. Ce qui m'étonne, c'est qu'ils m'aient libéré malgré que j'aie cassé la gueule au Norvégien.

– Tu sais quoi, Pedro de Valdivia ? On va aller se faire une bouffe chez des amis turcs.

– Fantastique, patron. On fête quelque chose ?

– Pourquoi pas ? On fête mon retour au Chili.

Sur le chemin de l'Imbiss de Zelma, il se mit à neiger. Le petit râblé avait enfoncé son passe-montagne jusqu'au cou et il tournait la tête tous les deux pas pour me regarder. La lueur qui brillait dans son œil valide semblait indiquer que nous nous dirigions vers quelque chose de grandiose, une de ces entreprises dont les tribulations seraient insoutenables sans la présence d'un bon compagnon.

Intermède

J'ai quitté mon Tanger natal le 13 juin 1325 (selon le calendrier chrétien). J'avais vingt et un ans et j'ai justifié ma décision par ma vocation de pèlerin. C'est ainsi que j'ai laissé mes parents, mes frères, mes femmes, mes enfants, mes amis et mes biens. Je suis parti avec le calme solennel de l'oiseau qui abandonne son nid. Seul le Très-Haut, le Clément, le Digne des quatre-vingt-dix-neuf Vertus connaissait la direction des vents qui me poussaient...

(C'est par ces mots que débute la narration dictée voilà plus de six cents ans par le cheikh Abou Abadallati Muhammad Ibn Abdallah Ibn Muhammad Ibn Ibrahim Al Klawatti, plus connu sous le nom d'Ibn Batutta tout au long des cent vingt mille kilomètres qui sont passés sous la plante de ses pieds.)

... Au cours de mes voyages qui ne sont pas encore terminés – seul l'Insondable sait ce que je cherche et si je le trouverai un jour –, j'ai rencontré trois sortes de voyageurs : il y a d'abord les pieux pèlerins. Que le Généreux veille sur eux. Ensuite viennent les commerçants pacifiques qui suivent la piste des caravanes. Que le Parfait garde leurs biens et les multiplie. Et enfin il y a ceux qui soupirent en contemplant, sur la mer, l'horizon qui recule toujours. Étranges hommes qui n'ont point d'attachement pour les biens qu'Allah leur dispense. Ils aiment mieux dépendre de sa volonté en subissant d'effroyables tem-

pêtes que de goûter l'aimable hospitalité du bazar. Leurs
âmes trouvent dans les rugissements épouvantables du
vent un soulagement plus grand que dans la voix pieuse
de l'imām qui annonce le temps de la prière du haut du
minaret. Que le Miséricordieux allège leurs peines et les
miennes, car je sens que ceux-là sont mes frères…

(En 1367, après plus de quarante ans de voyages à travers trois continents, au cours desquels il a ouvert d'innombrables routes, Ibn Batutta s'est réfugié sous la
protection du sultan de Fez. Dans cette ville où la roue
était interdite, il a été l'hôte de l'honorable université de
Quarawiyin. Avec l'aide du poète andalou Ibn Yuzay, il a
travaillé deux ans à la rédaction de son Rhila, surprenant
livre de voyage et de navigation, dont le manuscrit est
aujourd'hui la propriété de la Bibliothèque nationale à
Paris.)

… La magnificence d'Allah a préservé mes souvenirs
et inspiré les mots beaux et mesurés par lesquels Ibn
Yuzay les transcrit. La vie demeure toujours pour moi un
grand et sublime mystère, mais la volonté de l'Insondable
ne m'a jamais permis de m'arrêter aux portes qui gardent
ses secrets, sauf une fois. C'était il y a bien des années, et
je bénéficiais de l'hospitalité et des bienfaits de Muhammad Ibn Tuglug, sultan de l'Inde. Que le Magnanime
protège ceux qui le vénèrent et humilie ses détracteurs.
Nous étions dans la salle des quatre-vingt-dix-neuf
colonnes du palais de Yahanpanah, et nous observions le
travail méticuleux des artisans. Les hommes revêtaient
l'intérieur d'une coupole de minuscules céramiques
bleues. Ils commencèrent par les bords et, lentement, les
pièces parfaitement ajustées convergèrent vers le centre
où elles finirent par ne laisser que l'espace exact et
minuscule pour la dernière. Alors les artisans interrom-
pirent leur travail pour louer la perfection d'Allah. C'est
là que j'ai compris que nul voyageur, si loin qu'il aille,
n'est orphelin de la protection du Très-Haut, de son

regard qui voit tout et de sa mémoire qui conserve tout. Les pèlerins qui ne sont jamais revenus, les commerçants dont les caravanes ont été avalées par le désert torride, les navigateurs qui ont perdu l'horizon des mers, ceux qui n'ont pas de sépulture arrosée par les larmes et les lamentations des veuves sont, eux aussi, les pièces d'une mosaïque créée par la volonté d'Allah et se sont laissé mener par sa main infaillible dans leur recherche du lieu propice, de l'exact équilibre. Beaucoup ont dû trouver leur éternité symétrique en des terres que nul autre homme n'a visitées, car ainsi en a disposé le Magnifique. D'autres, comme moi, indignes de la perfection, n'ont pas rencontré le juste équilibre, mais un jour viendra où sa générosité infinie réunira les parties dispersées. Alors la mosaïque sera complète et les esprits affligés jouiront de l'ordre du Généreux, du Pieux, de celui qui est plein de Miséricorde et de Vertus...

(Ibn Batutta est mort en 1369 à Fez, à soixante-quatre ans. Son protecteur inconsolable, le sultan, a fait frapper en son honneur cent pièces d'or de dix onces chacune, qui devaient être enterrées en cent différentes croisées de chemins que le voyageur avait traversées. Mais la volonté du sultan n'a jamais pu être entièrement accomplie, et les pièces ont changé de propriétaire un nombre incalculable de fois. Dans le catalogue du musée numismatique de Zurich, il est indiqué que leur ultime détenteur – soixante-trois pièces sur les cent – a été un orfèvre renommé de Brême qui s'appelait Isaac Rosenberg, décédé en 1943 au camp de concentration de Bergen-Belsen. Les pièces ont été vues pour la dernière fois à Berlin en 1941. Elles sont connues comme « Collection du Croissant de Lune Errant ».)

DEUXIÈME PARTIE

« Vivre intensément compense tout effort et presque tout sacrifice. Vivre à moitié a toujours été l'attribut et le châtiment des médiocres. »

Rolo Diez,
*Une dalle dans
la vallée de la mort*

Un. A dix mille mètres d'altitude réflexions d'un insomniaque.

Après le dîner, la Lufthansa nous gratifia d'un film résolument somnifère pendant que la majorité des passagers ronflaient sous les couvertures bleues. Je suivis l'histoire d'Indiana Jones sans mettre les écouteurs, impatient de la voir se terminer pour que réapparaissent sur l'écran les contours de l'Europe et de l'Amérique du Sud séparés par un espace bleu. Une ligne de points de suspension indiquait le parcours de l'avion. Nous volions à proximité de taches identifiées comme l'archipel du Cap Vert, et j'avais l'impression que chaque point était un maillon de la chaîne qui m'attachait à l'aventure dont je ne voyais pas très bien comment j'allais me tirer.

Deux jours avant le départ, j'avais eu une dernière entrevue avec Kramer. C'était une de ces journées de soleil inutile et qui, pourtant, font se remplir les rues de Hambourg d'individus en extase devant cette confirmation que le vieil astre brille encore.

Il m'avait donné rendez-vous dans les jardins de Planten und Blumen, un grand parc qui commence dans le centre et se termine à proximité du port. Le rendez-vous était pour neuf heures du matin, et je l'ai trouvé en train de se délecter d'un spectacle pitoyable, sous les insultes d'une grand-mère furieuse et terrifiée parce que l'affreux cabot de l'infirme avait entrepris de sauter sa petite chienne.

— Vieux dégénéré, faites donc quelque chose pour que votre monstre laisse cette pauvre créature ! hurlait la grand-mère en brandissant un sac à main qui, contrairement à mes vœux, n'a pas explosé contre la tête de Kramer.

— Ma bonne dame, on ne peut pas freiner les instincts, répondait l'infirme avec un sourire cynique.

— Monsieur, je vous en prie, m'a supplié la grand-mère en me voyant approcher, et j'ai voulu envoyer un coup de pied au chien, en profitant de ce qu'il était tout à ses gémissements, mais je n'ai pas eu de chance, car c'est juste le moment qu'il a choisi pour se désaccoupler de la petite chienne. La verge rouge dressée comme une corne, il s'est assis en montrant les crocs.

— Merci. Je sais que le Coran vous interdit ces abominations, a dit la grand-mère, en s'éloignant avec sa petite bête humiliée.

— Un bon conseil : ne te mêle pas des affaires de Canaille, m'a lancé Kramer.

— Combien de races cet épouvantail a-t-il souillées ?

— Allons prendre le petit déjeuner. Canaille a bien gagné un casse-croûte.

Nous nous sommes installés à une table en plein air. Kramer ressentait comme les autres le besoin de se mentir en jurant que ce soleil lui réchauffait les os. Il a commandé deux pots de café avec des madeleines, et une omelette au soja pour le chien.

— Le soja est un grand reconstituant sexuel. Les Chinois s'y connaissent.

— Moi, c'est du poison que je lui ferais donner, à votre sale clebs.

— Vous finirez par être copains, Canaille et toi. J'en suis sûr. Tu as les billets ?

— Vous savez très bien que je les ai.

— J'essayais seulement d'être aimable. Voyons : quelle est ta mission ?

— Aller en Terre de Feu. Trouver un certain Hans Hillermann et le convaincre de restituer soixante-trois pièces d'or. Tout baigne dans l'huile, sauf si un individu qu'on appelle le Major est arrivé avant moi, auquel cas il n'y a plus ni Hillermann ni pièces d'or.

— Rien à craindre du Major. Il n'a pas bougé de Berlin. C'est justement de ça que je voulais te parler, Belmonte. J'ai engagé un détective privé et j'ai trouvé le fameux Major. C'est un ex-officier des services spéciaux de la RDA qui dirige maintenant une affaire immobilière.

— Un ex-officier des services spéciaux. Alors il y a un autre homme sur le coup. Il est peut-être déjà sur le chemin du retour.

— C'est possible. En tout cas, ça t'oblige à agir très vite. Je sais, et je comprends, tu veux voir Veronica…

— Ne prononcez pas son nom, Kramer. Je ne veux pas entendre le nom de mon amie sortir de votre groin.

— Du calme, Canaille ! D'accord, Belmonte, mais ne crie pas, ça rend le chien nerveux. Écoute : ta vie privée, tu t'en occuperas une fois ta mission terminée. J'ai modifié ton vol Santiago-Punta Arenas. Tu auras deux heures pour changer d'avion à l'aéroport de Santiago et continuer vers le Sud. J'ai tout réglé, tu n'as plus qu'à retirer le billet de la ligne chilienne en arrivant. Tu y seras avant l'autre, Belmonte. Tu vas gagner la partie. Tu dois la gagner, et tu sais pourquoi.

Tu parles si je le savais. Dès notre première rencontre, Kramer avait voulu me faire comprendre que j'étais à sa merci. Il avait obtenu que les flics me suppriment mes arrières, la sacro-sainte infrastructure de toutes les histoires de guérillas, de manière à ce que je me retrouve dans les limbes des miraculés de la potence, ceux qui n'ont nulle part où aller, ceux à qui il ne reste que leurs principes, et ça leur fait une belle jambe. A ce moment-là, il me tenait réellement au bout d'un fil. Mes principes à moi commencent et finissent avec Veronica. Ils se résument à un seul nom, le sien, et tout ce que j'ai fait, tout ce que je fais, c'est pour elle. J'ignore si Kramer a sous-estimé mon passé en pensant me bloquer dans une impasse dont il surveillerait l'unique issue assis dans son fauteuil roulant, ou s'il a fait tout ça parce qu'il sait que

les hommes comme moi raisonnent mieux quand ils sont
aux abois, pressés par le cercle qui se referme. Penser la
situation à chaud : c'est comme ça que nous appelions ce
style de raisonnement dans notre vieux jargon, et c'est ce
que j'ai fait pendant que nous marchions au bord de l'Elbe.
Il m'acculait dans les cordes parce qu'il avait besoin de
moi. Il recourait au chantage : donc nous avions tous les
deux quelque chose à gagner ou à perdre. Et pour couron-
ner le tout, il faisait miroiter un joli magot en récompense
de mes bons et loyaux services. Au Nicaragua, j'ai appris
une chose d'Eden Pastora, un des meilleurs guérilleros de
l'histoire : que les retraites difficiles réussissent quand
elles se déguisent en attaques massives.

— Ça va, Kramer. Je ferai ce que vous me demandez,
mais j'ai un prix.

— Dis-le-moi. Tout est négociable.

— Votre argent ne m'intéresse pas. Je veux autre
chose : j'accomplirai votre mission, je trouverai vos
foutues pièces d'or, mais vous vous chargerez de faire
venir Veronica en Europe, dans la meilleure clinique
psychiatrique.

— D'accord. La meilleure clinique suisse.

— Non. Danoise. C'est à Copenhague que se trouve le
meilleur centre de soins pour les victimes de la torture.
Ça coûtera ce que ça coûtera.

— J'accepte. Dès que je verrai les pièces sur mon
bureau, j'organiserai le voyage de ton amie. Ça coûtera
ce que ça coûtera.

Les points de suspension progressaient lentement sur
la tache bleue, traçant comme un pont entre les deux
rives. Une hôtesse me demanda si j'avais du mal à dormir et me proposa un bandeau pour les yeux. Je lui
demandai un Jack Daniel's avec de la glace et, le verre à
la main, je me remémorai mon départ de Hambourg.
Huit heures à peine s'étaient écoulées et j'avais l'impression que ça s'était passé dans une autre vie dont je
n'arrivais qu'à grand-peine à retenir les détails.

Pedro de Valdivia m'avait accompagné à l'aéroport. Le petit râblé devait habiter mon logement, avec des instructions précises.

— Tu as compris : si je ne suis pas de retour dans deux semaines, tu vends tout ce que tu peux vendre et tu envoies l'argent à l'adresse que je t'ai laissée.

— Ne vous en faites pas, patron. Vous reviendrez. Je ne sais pas pourquoi vous allez au Chili, mais ça se passera bien. Je ne pose pas de questions, patron.

— C'est vrai. C'est ça qui me plaît, chez toi.

Et j'ai ajouté :

— Février. Là-bas c'est l'été. Je ne me souviens même plus de la chaleur.

— Ça dépend, patron. C'est l'été dans la capitale, mais dans le sud c'est déjà l'automne.

— Tu as raison. J'ai rendez-vous en Terre de Feu.

— Je suis de là-bas, patron. De Porvenir. Il faut prendre des vêtements chauds. A cette époque, les vents du pôle commencent à souffler. Je sais de quoi je parle, patron.

— Ce qui veut dire que je ne suis pas débarrassé de mon manteau.

— Vaudrait mieux un anorak. Vous en avez un ? C'est pas grave. Je vous donnerai le mien qui est trop grand pour moi. Il est doublé en duvet de canard.

Le matin du départ, il est arrivé avec l'anorak vert qui s'est avéré trop grand même pour moi. Nous nous sommes dit adieu d'une poignée de main, et après avoir passé le contrôle de la police, j'ai tourné la tête : le petit râblé était toujours dans le hall, souriant, son passe-montagne bleu sur les sourcils et un œil toujours à moitié fermé.

Après dix heures de vol, ce fut un véritable plaisir de me dégourdir les jambes à São Paulo. La chaleur collait aux vêtements et au corps. En buvant, enfin, une tasse de vrai café au bar de la salle de transit, une idée m'alarma : et si « quelqu'un », homme ou femme, n'importe, aux ordres du Major, voyageait par le même vol ? Nous étions environ deux cents passagers. Je décidai de passer les têtes en revue. Dès le décollage, je parcourrais les allées en enregistrant les visages. Après un deuxième café, cela me parut un effort inutile. J'étais en train de me conduire comme un détective privé, pour le peu que je savais des mœurs des limiers.

Je connais beaucoup de noms de détectives privés qui éclaircissent les énigmes dans le monde glauque du roman policier, mais, en chair et en os, je n'en ai rencontré qu'un, dont j'ai scrupuleusement oublié le nom.

Je crois que ça se passait en 1977 : en ce temps-là, le monde était une espèce de supermarché où les révolutionnaires de tout poil se fournissaient en argent et en armement. Je revenais du Mozambique à Panamá, avec deux jours d'escale à Rabat. Je devais y rencontrer un militant du front Polisario qui avait un message à me remettre pour Hugo Spadafora. Nous nous étions donné rendez-vous dans un café et l'homme m'a plu tout de suite. Il s'appelait Salem, comme les cigarettes, et parlait l'espagnol cérémonieux des Sahraouis.

— On nous oublie. Il paraît que les guerres d'indépendance ne se vendent plus, a dit Salem.

— Pas moi. Je ne sais pas grand-chose des Sahraouis, mais j'ai de la sympathie pour eux. C'est peut-être parce que j'ai toujours aimé les histoires de Touaregs.

— Tu ferais quelque chose pour nous ?

— Je vais porter un message à Hugo. Ça ne suffit pas ?

— Il s'agit d'autre chose. De « récupérer » une marchandise dont nous avons besoin. Il y a un trafiquant d'armes qui nous a fait un coup tordu, il nous a livré une vraie camelote, et on ne fait pas ça aux fils du désert.

— Et où crèche ce monsieur ?

— A Mexico qui, comme tu sais, est une ville très tranquille, mais pour la marchandise, c'est Luxembourg sa base. Nous surveillons son bras droit jour et nuit.

De Rabat, j'ai gagné Panamá et, de là, La Havane, pour chercher l'homme qui pourrait m'aider à secourir les fils du désert. Je connaissais très mal Mexico, ce qui est normal car nul ne peut se vanter de connaître la plus grande ville de la planète. Et je connaissais encore plus mal les Mexicains. Des gens curieux, les Mexicains. Un peuple qui n'a pas connu la coupure, le traumatisme de l'histoire qu'ont signifié les coups d'État militaires du Cône sud. Ils vivaient comme ils pouvaient, mal, mais continuaient envers et contre tout à lutter pour des jours meilleurs : ce qui les différencie des autres Latinos, c'est qu'ils n'ont pas hypothéqué la possibilité d'être heureux pour le chèque en blanc de la prise du pouvoir.

Si je ne savais pas grand-chose des Mexicains du Mexique, je connaissais bien les Mexicains de Cuba. Un an auparavant, je m'étais lié d'amitié avec Marcos Salazar, un professeur qui, à la fin des années soixante, s'était lancé dans l'aventure de la lutte armée pour reprendre le combat inachevé de Villa et de Zapata. Son mouvement avait pris le nom de « Mouvement Lucio Cabañas » et il considérait que ses actions s'inscrivaient dans l'ensemble des insurrections qui secouaient le continent. Il avait mal calculé, car Cuba ne l'avait pas soutenu. La Révolution cubaine ne pouvait se donner le luxe de gâcher ses relations avec le Mexique. Raison d'État. Conclusions fondées sur « l'analyse objective des rapports de force ».

Le mouvement n'avait guère duré. La répression du Parti révolutionnaire institutionnel s'était abattue sur lui, et certains de ses militants, parmi lesquels Salazar, avaient détourné un avion pour échapper à la mort. Ils l'avaient dirigé sur Cuba et ils y étaient restés pour toujours, ou jusqu'à ce que la toile d'araignée gluante de l'histoire décide de leurs vies, de leurs morts, de leurs peurs, ou autres hallucinations.

J'ai fait une promenade sur le Malecón, le front de mer de La Havane. C'était un lieu de rencontres et je devais y trouver le fil qui me conduirait à Marcos. J'ai acheté *Granma* et l'ai lu de la première à la dernière page, assis dans un endroit visible des quatre points car-

dinaux. J'ai fumé la presque totalité d'un paquet de
cigarettes en matant les belles filles de La Havane jusqu'à ce qu'enfin, j'entende une voix connue me héler.

— Toi ici, Belmonte ?

C'était Braulio, un mulâtre à la démarche chaloupée
qui portait une valise attachée avec des ficelles.

— Comment ça va, Braulio. Tu pars en voyage ?

— Tu parles : je vais en Suisse déposer mes bénéfices
de la journée. Je suis le représentant exclusif, le distri-
buteur et le vendeur d'un produit extraordinaire. Oui
monsieur, je le jure. Extraordinaire.

— Et qui est le producteur ?

— Un arbre. Je vends des avocats.

Braulio faisait partie des débrouillards cubains. Ex-
combattant de Playa Girón en disgrâce, mais sans
jamais perdre son humour.

— J'ai besoin de rencontrer un ami. Un Mexicain.

— Difficile. La semaine dernière on a eu la visite du
patron de la Compagnie pétrolière du Mexique, alors les
gars ont été expédiés à Camagüey.

— Dix dollars, ça ouvre une bouche.

— Tu parles d'or. Tu pourrais être poète. Viens demain,
t'auras ton monde. Entre dix heures et midi. Tu veux un
avocat ?

Marcos Salazar. Qu'est-il devenu ? A l'époque, il
devait friser la quarantaine, l'air fatigué, fumeur invé-
téré. Une calvitie prononcée et bronzée lui refusait toute
ressemblance avec un guérillero. Un individu en *guaya-
bera* kaki, à l'allure de notaire, le suivait en feignant de
regarder les vagues.

— Belmonte. Ça alors ! Je n'arrive pas à y croire.

— On va boire un *mojito* ?

— Je t'invite et tu payes. Et mon ange gardien ?

— Je l'ai vu. Il y en a d'autres ?

— Non. Je suis tellement insignifiant que ça fait des
mois qu'ils ne l'ont pas changé. Pauvre type, t'as vu sa
tronche ? Bon, c'est pas mon problème, mon frère. Tu

vas me cracher ton histoire en marchant, et après, place au rhum et aux souvenirs.

— J'ai besoin d'un homme à Mexico. Un mec capable de niquer le diable.

— Compris. Tends l'oreille : son nom tu l'as déjà oublié, et tu trouveras ton homme à Azcapotzalco. Le Phare du bout du monde. Il lui manque un œil, je ne sais pas lequel. La dernière fois que je l'ai vu, il avait encore les deux.

— Je te dois quelque chose ?

— Une cuite qui ne finisse jamais.

Azcapotzalco était ce que, dans beaucoup de villes, on appelle une banlieue, un furoncle qui n'avait pas poussé sur la capitale abandonnée mais qui était là depuis longtemps, à attendre, embusqué. Tout semblait tourner autour d'une raffinerie mégalomaniaque qui empestait l'atmosphère. Quelques questions m'ont suffi pour trouver le Phare du bout du monde, un bar fréquenté par des ouvriers de la raffinerie et autres piliers de taverne.

- Ça sera quoi ? s'est informé le patron.

— Une bière. Dites-moi, je cherche un *cuate** qui est client chez vous. Celui qui n'a qu'un œil.

— Et vous croyez qu'il a envie de vous rencontrer ?

— Bien sûr. Puisque je vous dis qu'on est des *cuates*. Et ça urge.

— Attendez. C'est de la part de qui ? a interrogé le patron en tendant la main vers le téléphone.

— De Robinson Crusoé.

J'ai attendu assez longtemps pour boire cinq chopes de bière et me convaincre que le monde se divise en trois parties égales, à savoir les *pinches*, les *cabrones*, et les *hijos de la chingada*, qui sont autant de nuances pour dire affectueusement enfant de salaud ou simplement pour désigner son prochain. J'étais en train de me

* Un pote, au Mexique.

demander dans lequel des trois camps je me sentirais le
plus à l'aise, quand j'ai vu le patron qui tendait le cou et
les lèvres pour me montrer. Cette mimique s'adressait à
l'homme qui venait d'entrer, un individu d'un âge indé-
finissable, une casquette de base-ball sur la tête et un
bandeau de cuir marron sur l'œil droit.

— Vous n'êtes pas Robinson Crusoé, a-t-il constaté en
guise de salut.

— Non. Mais je suis un ami de Marcos. Il m'a donné
votre nom dans l'île.

— Sacrés Cubains. Donne-moi un euphémisme, frère.

— Un quoi ? s'est inquiété le patron.

— Un Cuba-libre.

Le patron a servi la commande et j'ai admiré la
manière dont le borgne saisissait le verre en mettant un
doigt à l'intérieur de façon à empêcher la rondelle de
citron et les glaçons de tomber pendant qu'il s'envoyait
le rhum jusqu'à la dernière goutte. Après quoi il a rempli le verre avec le Coca-Cola.

— C'est un Cuba-libre pour bébés. Voyons ça. Dites-
moi de quoi il retourne.

Je lui ai donné les informations que Salem m'avait
confiées. Le borgne écoutait en sirotant son Cuba-libre
pour bébés. Les clignotements de son œil m'ont indiqué
qu'il était déjà en train de planifier l'action et, quand
j'ai achevé, il a dit qu'il voulait repérer l'objectif.

Le borgne dont j'avais déjà oublié le nom avant de le
connaître conduisait une Coccinelle. Nous avons traversé tout Mexico, tout le District fédéral qui semblait
ne pas avoir de fin, pour arriver dans un quartier de bun-
galows style Hollywood. Il s'est garé à cinquante mètre
de la maison qui nous intéressait, et son œil unique s'est
concentré sur le rétroviseur.

— Ça n'a pas l'air difficile, a-t-il estimé.

— J'aimerais inspecter les lieux, faire un relevé opé-
rationnel.

— Vous n'êtes pas au Chili. C'est moi qui me charge
de ça. Vous êtes trop visible.

– Si on parlait un peu des risques ?

– Pour quoi faire ? Robinson Crusoé est comme mon frère, et les amis de mon frère sont…, etc.

Il m'a déposé à une station de taxi. En me quittant, il m'a laissé une carte en me disant de l'appeler le soir même, à huit heures. Sur la carte figurait son nom et, dessous : « Enquêteur privé ».

Je l'ai appelé comme convenu. Étonnants, les Mexicains. Quand ils disent oui, c'est définitif.

– On va faire ça demain. Je passerai vous prendre à l'hôtel à six heures double zéro, comme disait le général Patton.

– D'accord. Je suppose que vous avez une arme pour moi.

– C'est quoi, votre chiffre porte-bonheur ?

– Le neuf long.

Dans la nuit, j'ai appelé Rabat et j'ai rapporté à Salem la tournure que prenaient les événements. Le fils du désert m'a dit que, de son côté, tout marchait comme prévu.

Le lendemain, peu après le lever du soleil, aux abords d'un bungalow hollywoodien du District fédéral de Mexico, trois hommes portant des combinaisons jaunes et des casques de sécurité attendaient qu'une voiture sorte de la maison avec trois personnes à l'intérieur. Puis ils sont descendus de leur camionnette. L'un était borgne, l'autre était un jeune homme très agile, et j'étais le troisième. Le borgne s'adressait au jeune homme en l'appelant « voisin ».

Le « voisin » n'a pas appuyé sur la sonnette, il s'est collé littéralement à elle, jusqu'à ce qu'une armoire à glace arrive au triple trot pour ouvrir la porte. La crosse de nacre d'un quarante-cinq dépassait de sa ceinture.

– Qu'est-ce qui se passe ? a demandé l'armoire à glace.

– Ouvrez cette foutue porte faut qu'on trouve la fuite

de gaz et grouillez parce que si on la trouve pas tout de suite ça va être la mère de toutes les explosions et vous aurez pas le temps de numéroter vos abattis allez bon Dieu ouvrez.

L'armoire à glace a mordu à l'hameçon. Les discours sans virgule sont infaillibles. Nous sommes entrés. Le « voisin » a continué à gueuler comme un putois jusqu'a ce qu'arrivent deux autres gardes du corps, les yeux encore chassieux, et deux soubrettes.

— La fuite vient de la maison, c'est encore plus grave qu'on croyait ! a hurlé le « voisin » en suivant les indications d'un ampèremètre qu'il faisait fonctionner comme un compteur Geiger.

Nous sommes entrés au galop dans le bungalow et, après avoir vérifié que les trois gorilles et les soubrettes nous y avaient bien suivis, nous avons défouraillé. Le borgne tenait un quarante-cinq noir, le « voisin » une carabine trente-huit à canon scié, et moi je me sentais très à mon aise avec un Browning neuf millimètres long.

— Cette bande d'abrutis et les gonzesses sont pour vous, « voisin ». Nous, on va faire une petite visite au vieux, a dit le borgne, et nous nous sommes mis à envoyer des coups de pied dans les portes.

Wolfgang Obermeier, alias Ernesto Schmidt, alias César Braun, et dans tous les cas ex-commandant de la Waffen SS, était assis sur son lit et dégustait un pamplemousse à la petite cuillère.

Le borgne s'est posté sur le seuil de la chambre en partageant son œil unique entre le couloir et l'intérieur de la pièce. J'ai bondi jusqu'au lit du vieux nazi et j'ai remplacé la petite cuillère par le canon de mon pistolet. Obermeier tremblait, les yeux exorbités. Il bavait sur le canon du Browning sans le moindre respect pour l'industrie belge.

— Écoute bien, vieux porc. Tu vas voir la photo d'un homme qui meurt d'envie de connaître ton adresse.

J'ai sorti de ma poche la photo d'un homme en uniforme de l'armée israélienne qui portait un numéro tatoué sur le bras. Le vieux nazi l'a regardée et, comme l'avait prévu Salem, il a failli chier sous lui. Toujours bavant, il a bafouillé des mots incompréhensibles.

— Otez-lui le canon de la bouche. Vous voyez pas que ce fumier veut causer ? a conseillé le détective borgne sans bouger de la porte.

Avant de retirer le canon de sa bouche, je l'ai attrapé par les cheveux, qu'il avait rares. Le vieux nazi tremblait comme un chien.

— Qui êtes-vous ? Qu'est-ce que vous voulez ?

— On est les fils du désert. Mais on n'a rien contre les gars du Mossad.

— Ma famille… ma famille…

— Ta famille, je m'en tamponne. Ouvre bien les oreilles : tu vas appeler immédiatement ton agent à Luxembourg. Tu le réveilleras, mais c'est la vie.

Obermeier s'est laissé traîner jusqu'à sa table de travail.

— Mets le haut-parleur. Je veux écouter. Et fais attention à ce que tu dis, la pratique de la langue allemande fait partie de mes qualités.

En transpirant, il a fait le numéro luxembourgeois que Salem m'avait donné à Rabat. Quelques secondes se sont écoulées, puis une voix ensommeillée à répondu en allemand.

— *Ya*. Allô ?

— C'est moi… Braun.

— Herr Braun ! Il se passe quelque chose ?

J'ai fourré mon pistolet dans son oreille libre.

— Dis-lui d'aller à la fenêtre qui donne sur la Marien-platz. En bas, il verra un cycliste en train de réparer son vélo. Il doit l'appeler et lui ouvrir la porte.

Obermeier a obéi. De l'autre côté du fil on lui demandait des explications, mais le canon planté dans l'oreille du vieux nazi lui a fait retrouver son ton de commandement et il a exigé l'obéissance.

Trois minutes plus tard, le Luxembourgeois l'informait que le cycliste était près de lui. Je lui ai parlé en espagnol :

— T'as le bonjour du Mexique.

— T'as le bonjour de l'oasis.

J'ai rendu le téléphone à Obermeier.

— Dis à ton associé de rédiger un ordre de paiement de quatre cent mille dollars.

Il a hoqueté :

— Mais c'est le double de ce que j'ai reçu.

— Et les intérêts ? a fait observer le détective borgne, toujours dans l'encadrement de la porte.

Avec quelques millimètres d'acier noir enfoncés dans son oreille, il a donné l'ordre au Luxembourgeois. Puis j'ai parlé de nouveau avec le Touareg :

— Tu as le gâteau ?

— Il dégouline de crème. Je sors pour le déguster.

— Maintenant, ordure, tu vas dire à ton associé d'accompagner mon ami jusqu'à la porte, d'attendre qu'il soit parti et de revenir au téléphone.

Cinq minutes plus tard, le Luxembourgeois était de retour à l'appareil. Il ne cessait de demander ce qu'il devait encore faire.

— Dis-lui de prendre un livre, n'importe lequel.

Le Luxembourgeois a dit qu'il avait *La Montagne Magique* sur sa table.

Il était huit heures du matin quand le Luxembourgeois a commencé à lire au téléphone l'œuvre de Thomas Mann. Le détective borgne est allé dans la pièce où le « voisin » surveillait les trois gorilles et les deux soubrettes, et il les a ramenés. Nous formions une charmante compagnie et la causerie s'est prolongée jusqu'à une heure de l'après-midi, bien que le Luxembourgeois fût un lecteur désastreux. A une heure cinq, j'ai donné l'ordre à Obermeier de raccrocher et j'ai appelé Rabat. Salem était euphorique.

— On a récupéré le fric. Si tu repasses dans les parages, on fêtera ça.

— Promis, fils du désert.

Avant de vider les lieux, nous avons fait un gros paquet des gorilles et nous avons enfermé les soubrettes dans les chiottes. Obermeier continuait à trembler de peur, de honte et d'impuissance. Pendant que nous l'attachions sur une chaise, il a risqué une question.

— Vous allez me livrer aux Juifs ?

— Nous autres, on joue franc jeu. Je te ferais bien sauter la cervelle, mais ça nous mettrait les flics aux fesses. Et si on ne te livre pas aux Juifs, c'est pour une seule raison : tu t'en tirerais encore en leur vendant tout ce que tu sais sur les Palestiniens.

Nous avons quitté le bungalow et nous sommes montés dans la camionnette. Le « voisin » a exprimé sa satisfaction pour la moisson de quarante-cinq. Le détective borgne a manifesté sa préoccupation pour la note de téléphone que nous avions laissée au vieux nazi.

Oui, ce borgne était le seul détective privé que je connaissais. Je me dis que ça serait drôlement bien de l'avoir avec moi au Chili.

La fatigue s'abattit sur moi dès que nous eûmes décollé de Buenos Aires, et je me promettais bien de dormir, enfin, pendant cette dernière heure merveilleuse de vol, quand je sentis que quelqu'un m'enfonçait son coude dans les côtes. J'ouvris les yeux et vis le gros qui était mon voisin de siège.

— Qu'est-ce qu'il y a ? demandai-je sans être sûr d'être réveillé.

— Regardez ! Regardez ! répondit le gros en essayant de faire un trou dans le hublot avec son doigt.

— Quoi ? dis-je, imaginant déjà un moteur en flammes.

— La Cordillère des Andes. Nous sommes au Chili !

Gros de merde. Plus question de dormir. Je quittai mon fauteuil et marchai comme un pélican jusqu'aux

toilettes. Là, je me regardai dans la glace. Bon Dieu,
Belmonte. Quand tu es parti du Chili, tu n'avais pas un
cheveu blanc, et maintenant regarde ta gueule en deux
couleurs, comme si l'une était le négatif mal conservé
de celui que tu as été, et l'autre la pire copie de celui
que tu es.

Deux. Santiago du Chili :
un casse-noix saxon.

Le casse-noix en bois regardait la salle du sommet d'une bibliothèque. Sa bouche immense s'ouvrait sur deux rangées de dents égales et blanches. Les dents supérieures étaient peintes au-dessous d'une épaisse lèvre pourpre, et celles du bas taillées dans l'une des extrémités de la pince qui servait de mâchoire. La pince lui traversait le corps, sortait par le dos auquel elle faisait comme une longue bosse, et il suffisait de la déplacer vers le haut pour que la mâchoire s'abaisse en lui ouvrant la bouche jusqu'à mi-poitrine. Un autre mouvement, cette fois vers le bas, lui refermait la bouche, et les puissantes mandibules écrasaient la noix ou toute autre chose qu'on y mettait.

Il mesurait environ quarante centimètres et représentait un veilleur de nuit saxon, grand et fort, comme il en existait à Dresde avant que la ville ne soit écrasée par les bombardements alliés de 1945. Il portait un chapeau haut-de-forme sur sa grosse tête d'hydrocéphale et on lui avait peint sur le corps une redingote bleue, avec des boutons, des épaulettes et des revers de manche dorés. Un pantalon blanc à passements bleus et des bottes noires complétaient son habillement. Il tenait dans la main droite une longue hallebarde et dans la gauche une lanterne hexagonale. Du bord court de son chapeau dépassaient des mèches en crin de cheval, et une moustache effilée dans le style Kaiser peinte sous le nez proéminent donnait sa touche finale à la personnalité du pantin. Il était inutile et hébété. Comme n'importe quel exilé.

– Fort-en-gueule est arrivé avec moi, dit Javier Moreira en désignant le casse-noix.

Moreira était un quadragénaire qui n'avait pas beaucoup plus de cheveux sur le crâne que de raisons de s'abriter derrière une identité postiche, alors qu'il savait très bien que son interlocuteur connaissait sa biographie par cœur. Mais ainsi l'exigeaient les règles d'une mise en scène tenace comme la gale, dont la stricte observation était une question de principe. Il ne s'appelait pas Javier Moreira, et l'homme assis de l'autre côté de la table ne s'appelait pas Werner Schroeders. La vie continuait à se montrer telle qu'elle était : une farce.

– C'est une pièce de musée. On commence à en fabriquer à Hong Kong, s'extasia Schroeders.

– Décidément, tout fout le camp.

– Il y en a qui pensent le contraire. Ils disent que tout était déjà foutu et qu'on ne pouvait plus rien y changer.

– Ce salopard de Gorbatchev. Ils ont été trop mous. On a tous été trop mous. Tu ne crois pas ?

– Moi, je suis quelqu'un de discipliné. Je ne pense pas, je n'ai pas d'opinion, je ne crois rien, je ne dis rien. J'obéis aux ordres.

Moreira alla au buffet de la cuisine et pressa des citrons pour préparer une tournée de *piscosour*. Il voulait déceler une note d'optimisme dans les paroles de l'Allemand. Si un individu, un « cadre » comme lui débarquait au Chili pour obéir aux ordres, cela voulait dire qu'il y avait encore des gens pour en donner et que la dernière bataille n'était peut-être pas encore livrée. Mais les événements s'étaient succédé à une vitesse tellement vertigineuse que la réalité pesait comme une pierre tombale et ne laissait passer aucun rayon de lumière porteur d'espérance.

– Werner ? Tu savais que tu me trouverais ?

– J'ai couru le risque et je suis heureux de voir que je ne me suis pas trompé.

Moreira se mordit les lèvres. Il attendait un « oui, naturellement, camarade ». Il était rentré au Chili en 1986, dans les pires conditions, au moment où son parti se décomposait, et sa seule activité avait consisté à louer une boîte postale dans un bureau de poste de quartier et à faire deux doubles de la clef. Il en avait envoyé une à Cuba et l'autre en RDA. Pendant presque quatre ans, en homme discipliné, il était passé tous les lundis et tous les jeudis inspecter la petite case encastrée dans un mur de brique, pour se retrouver chaque fois devant le vide des vaincus, des naufragés oubliés sur les îles sans nom, jusqu'à ce qu'une après-midi, il y avait de cela exactement sept jours, la présence d'une enveloppe postée à Berlin lui cause un soudain accès de tachycardie.

A l'intérieur, il avait trouvé une annonce découpée dans un journal allemand : « Des souris ? Donnez-nous votre adresse, et en sept jours nous vous délivrerons du fléau. » Le message était bref mais, pour Moreira, il contenait plus d'informations qu'une encyclopédie.

– Je suis content de te voir, Werner.

– Je te croirai quand je saurai où tu en es.

Moreira servit deux verres.

– On boit à quoi ? Au bon vieux temps ?

– Toujours aussi romantique, Moreira. Je me rappelle que tu étais un des rares à t'émouvoir quand on buvait à la fraternité entre les peuples.

– C'était à Rostock. Avec du champagne de Crimée.

– Ou du rhum. On s'est payé des sacrées cuites avec l'attaché militaire cubain.

– Au bon vieux temps et aux nobles camarades.

– Tu es incurable, Moreira. A ta santé.

Les deux hommes s'étaient connus à Cottbus au début des années quatre-vingts. Le ministère de l'Intérieur de la RDA traversait alors une période de grand malaise, car l'Occident recevait régulièrement les noms de nombreux indicateurs au service de la Stasi et tout indiquait que la fuite était d'origine latino-américaine.

Werner Schroeders était officier des services spéciaux et connu sous ce nom au département latino-américain du ministère. Il avait été chargé de trouver un poison qui permette d'éliminer le vers introduit dans le cœur même de la pomme.

Le dossier confidentiel de Javier Moreira le présentait comme un communiste à toute épreuve. Militant exemplaire des jeunesses communistes. Service militaire dans les commandos de marine. Membre de l'appareil de sécurité du Parti peu avant le coup d'État militaire de 1973. Jusqu'en 1975, responsable de la sécurité du Comité central clandestin. De 1977 à 1979, instruction militaire en Bulgarie et à Cuba. Fin 1979, départ pour le Nicaragua comme chargé des opérations d'épuration idéologique. Sa mission consistait à éliminer les éléments trotskistes, anarchistes et guévaristes entrés au Nicaragua avec la Brigade internationale Simon Bolivar.

– Avec qui vis-tu ?
– Pourquoi cette question ?
– Un appartement de trois pièces, c'est beaucoup pour un homme seul.
– Tu as des yeux derrière la tête. Je vis seul. A mon retour au Chili, je me suis marié, mais ça n'a pas duré. Mon ex est partie avec ses affaires et le canari. Tu peux te servir de la maison.
– Il m'est arrivé la même histoire. C'est une bonne chose. Tu ressers une tournée ?
Werner Schroeders regarda Moreira presser d'autres citrons et découvrit qu'il y avait dans ses gestes une défaite trop tangible, presque obscène. Il était loin, l'homme

sûr de lui qui, en 1981, dans un immeuble vétuste de Berlin-Est, l'avait écouté lire pendant des heures, sans bouger un muscle, l'exposé de la situation et qui, après avoir reçu son jeu de faux papiers, l'avait salué en claquant des talons.

Moreira s'était affirmé alors comme un homme efficace, un « cadre de toute confiance ». Avec un zèle de fourmi, il était allé à Francfort-sur-le-Main, Munich, Hambourg, Berlin, Leipzig. Il avait assisté à d'innombrables fêtes latino-américaines. A des messes catholiques et des services protestants. Écouté des centaines de disques de Mercedes Sosa, Joan Baez, les Inti Illimani, Pete Seeger, les Quilapayún, Daniel Viglietti. Manifesté pour la Bolivie, le Chili, l'Afrique du Sud, le Nicaragua, le Salvador, pour tous les pays victimes des conflits de classe. S'était fait roué de coups dans des *sit-in* devant les centrales nucléaires et les industries polluantes. Avait dansé avec des individus costumés en gitanes dans des festivals gays. Fumé de la marijuana cultivée sur des balcons et du haschich acheté à Amsterdam. Bref, mené la vie normale de l'exilé latino. Au bout de six mois, il avait trouvé l'entrée du labyrinthe et regagné Berlin avec le portrait-robot du Minotaure.

En RDA, la Stasi avait frappé fort et bien. Les Allemands impliqués avaient été jugés pour collaboration avec l'ennemi de classe, leurs biens avaient été confisqués et ils avaient écopé de lourdes peines à purger dans des prisons qui n'avaient rien, ou presque, à envier aux culs-de-basse-fosse de Pinochet ou de Videla. Les Latinos qui n'avaient pu s'enfuir à temps avaient été expulsés vers leurs pays d'origine, à la grande satisfaction d'un tas de dictateurs de tout poil, et Moreira avait reçu l'ordre de retourner à Francfort pour mettre le point final à l'affaire.

Le cerveau de la filière était un militant uruguayen, vieux cheval de retour des Tupamaros. Ce citoyen de la République orientale avait vu se décomposer le réseau, il avait remonté patiemment le fil et découvert l'iden-

tité de la taupe. Il avait fait alors une analyse objective
de la situation : la répression prolétarienne ne prendrait
pas le risque de venir l'enlever à Francfort. Non. Les
fils de papa Staline n'étaient pas idiots. Ils le livreraient
à la police politique de l'Allemagne occidentale. Il en
savait trop sur le mouvement contestataire en RFA. Les
Allemands de l'Ouest lui donneraient le choix entre leur
servir d'indicateur et être expédié en Uruguay pour y
pourrir dans un pénitencier au nom prédestiné : Libertad. L'analyse était pertinente. Comme l'était aussi sa
conviction qu'il avait en main un atout maître : il
connaissait la véritable identité de Moreira. Les communistes chiliens et les Allemands de l'Est ne vou-
draient pas laisser « brûler » un homme sur lequel ils
avaient investi tant d'argent, de confiance et de temps.
Il avait vu la possibilité de négocier avec Moreira et pris
le risque de lui donner rendez-vous pour discuter, dans
un lieu public. Sa proposition était simple et directe :
il ne dévoilerait ni l'opération de démantèlement ni
l'identité de Moreira, en échange de quoi il demandait
quelques semaines de tranquillité, le temps de gagner
un pays scandinave qu'il s'engageait à ne plus quitter. Il
réfléchissait encore à son plan en voyant apparaître
Moreira à l'une des entrées de la station Konstabler-
wache. Ce qu'il n'avait ni vu ni prévu, c'était le militant du Parti des travailleurs du Kurdistan qui l'avait
poussé sous les roues du métro.

— Parle-moi de toi, Moreira. Qu'est-ce que tu fais ?
— Je végète. Je lis, je chie, je dors, et je recommence.
J'ai perdu.
— Le Parti avait du fric.
— Le Parti ! Tu as connu celui qui tenait nos finances
à Berlin. Un cadre. Un grand camarade qui avait fait ses
études en URSS et en RDA. Aujourd'hui, il a une entre-
prise de transports et la seule fois que je lui ai rendu
visite pour lui demander de l'aide, il m'a récité le caté-
chisme de l'économie de marché : « On ne peut pas

créer des emplois fantômes, camarade. Je comprends
votre situation. Mais je ne suis pas Caritas, camarade.
Nous nous sommes trompés, camarade. Alors, très fra-
ternellement, camarade, continuez à crever de faim et
filez de mon bureau avant que j'appelle la police. » Le
Parti ! Tu veux savoir ce que je fais ? Je suis intendant,
ça sonne bien, mais pas l'intendant d'un lord. Non, je
suis l'intendant d'une crèche. Tous les matins, je net-
toie, j'allume le poêle, je vérifie les balançoires pour
que les mômes ne risquent pas de se casser le cou, j'as-
tique le toboggan, je répare les chaises et les tables
basses, je tire les rideaux, je ramasse les sucettes et
les épingles à nourrice oubliées et, le soir, je rassemble
les mouchoirs pleins de morve. Le Parti ! J'ai vécu pendant deux ans avec le peu d'argent que j'avais rapporté
de RDA, puis avec ce que gagnait mon ex-femme.
Payer la boîte postale, mon contact avec la cause, avec
les hommes comme toi, Werner, des fois ça voulait dire
passer des semaines au pain et à l'eau. Le Parti ! J'en
connais qui ont été des dirigeants et qui sont bien pla-
cés, ça va bien pour eux, merci. Une fois, je suis allé en
voir un pour lui demander du travail et tu sais ce qu'il
m'a demandé ? « Qu'est-ce que tu as fait comme études,
camarade ? » Comme études ! Géopolitique, matéria-
lisme historique et dialectique, stratégie de la guerre
psychologique, techniques du sabotage, contre-espion-
nage, la théorie de Clausewitz, celle de Hô ChiMinh,
l'histoire de la résistance algérienne, le *tae kwon do*. Du
vent. Pas même de quoi faire le balayeur. Le Parti ! Il
n'existe pas. Tout ça n'a été qu'une farce, une esbroufe
minable. Quand les Russes nous ont coupé le biberon,
en 1985, tout s'est effondré : le sauve-qui-peut général.
Et pour les dirigeants actuels, les types comme moi sont
de misérables aventuriers, les responsables du grand
malheur, les coupables de la débâcle. Le Parti ! A ta
santé.

– Quel discours, Moreira. Je n'aurais jamais cru que
vous vous laisseriez démolir comme ça. Vous étiez l'un

des partis communistes les mieux organisés de la planète,
le quatrième après les Russes, les Chinois et les Italiens.
— Tout ça, c'était de l'esbroufe. Encore un verre ?
— Non. Tu as l'engin ?
— Le flingue ? Oui.

Moreira alla dans la salle de bains. En retirant les vis
qui fixaient la glace au mur, il vit son reflet et eut honte.
Il s'était montré désespéré, au bord de la crise de nerfs, et
à quoi pouvait servir un homme dans cet état ? Un vrai
déchet. Il enleva la glace et, avec une pince, déplaça le
carreau qui obturait la cachette.

Avant de revenir dans la pièce, il se passa de l'eau sur
la figure. En posant le paquet enveloppé dans une serviette sur la table, il respira, libéré. Il n'était pas au bout
du rouleau. Il en avait la preuve devant lui.

Werner défit le paquet.

— Tu crois que je pourrai retourner à Berlin ?
— Un Colt neuf millimètre long. C'est un excellent
pistolet. Et ce tube, c'est quoi ?
— Technologie locale. Un silencieux. Nous avons
commencé à en fabriquer avant 73. C'est un machin très
simple, un tube en acier dont l'intérieur est fileté dans le
sens contraire des rainures du canon. Il amortit le bruit de
la détonation à quatre-vingts pour cent. Il s'emboîte sur le
canon mais, une fois fixé, il faut faire attention à le main-
tenir avec la main pour que le recul ne fasse pas dévier le
coup.
— Admirable. Tu es sûr qu'il marche ?
— Je ne t'ai jamais raconté d'histoires. Werner, ré-
ponds-moi.
— Berlin ? Tu n'y penses pas ! Tu n'es pas au courant de
la chasse aux sorcières ? Il suffirait que quelqu'un te
reconnaisse, et en ce moment n'importe quelle dénonciation confirme le pedigree démocratique de son auteur.
— Mais il y a des camarades qui pourraient me donner un coup de main.

– Oublie-les. Ils se dénoncent entre eux. C'est une façon de survivre, et tu dois savoir que, pour ça, nous les Allemands, on est champions. A la fin de la Deuxième Guerre mondiale, tout le monde vendait son voisin pour une barre de chocolat ou un paquet de cigarettes. Aujourd'hui, on fait ça pour des magnétoscopes, des voitures, des vacances à Torremolinos, du travail.

– Je n'arrive pas à y croire. Il y avait des milliers, des centaines de milliers de camarades. Je les ai vus défiler le poing levé avec des torches, les chemises bleues de la FDJ. J'y étais. L'anticommunisme ne peut pas s'être imposé aussi facilement.

– Il n'existe pas. Le communisme n'existe pas, donc personne ne peut être anticommuniste. Aujourd'hui, on est tous anti-RDA. Tu ne comprends pas ? Tout ce que nous avons fait sous le nom de RDA est mauvais, pervers, pourri, honteux. Pendant quarante ans, on a mangé de la merde, on s'est habillé avec des loques, on a baisé avec des femmes blennorragiques et on a eu des enfants mongoliens. Mais tout ça c'est terminé et, maintenant, en échange d'une dénonciation sincère, l'Occident nous pardonne, il nous offre notre rédemption, il nous met dans un utérus climatisé, il branche notre cordon ombilical sur une boîte de Coca-Cola, après quoi il nous expulse par le vagin de maman Mercedes Benz. Alléluia, Moreira ! C'est une nouvelle naissance.

– Tu ne parles pas sérieusement, Werner. Tu me prends pour un imbécile ? Je vois bien que tu veux me provoquer. Je ne suis pas idiot. Tu es ici dans un but précis, Werner. Tu n'as pas gardé la clef de la case postale pour rien. Tu es en mission et tu as besoin de moi. Comme au bon vieux temps.

– Exact. Tu as entretenu le pistolet ?

– Il est en parfait état. On ne m'a pas oublié, hein ?

– Tu es notre homme de l'autre côté de l'Atlantique. Bande-moi les yeux. Comme au bon vieux temps.

Moreira obéit et, pour s'assurer que le mouchoir était bien posé, fit semblant de donner un coup de poing en

arrêtant la main à quelques centimètres du visage mas-
qué. L'Allemand ne réagit pas.

— Démonte-le, Moreira.

Avec des gestes précis, Moreira enleva le chargeur, fit
jouer les crans, tendit la paume pour recevoir le ressort
de la tige de recul, dégagea le canon de sa glissière et,
en quelques secondes, le pistolet fut réduit à l'état de
pièces éparses d'un puzzle.

— C'est prêt, Werner. Tu peux y aller.

— Chronomètre, Moreira.

Les mains de l'Allemand s'activèrent comme deux
automates, rapides, précises. Chaque doigt avait son
rôle pour tenir ou emboîter une pièce, et elles ne s'arrêtèrent que lorsque le pistolet eut retrouvé sa forme définitive et mortelle avec une balle dans le canon.

— Combien ?

— Une minute cinq secondes. C'est pas mal, Werner.

— Je vieillis. J'y arrivais toujours en moins d'une
minute. Voyons comment tu t'en tires.

— Il faut que vous me donniez ma chance. L'inaction
finira par me rendre fou. Je ne vous ai jamais fait défaut.
Tu le sais, Werner.

L'Allemand lui banda les yeux, s'assura à son tour de
sa cécité temporaire et le regarda longuement.

— Un cadre politico-militaire se sort de n'importe
quelle situation. Cette histoire de devenir fou n'a pas de
sens, Moreira.

— Je sais. Et c'est pour ça que j'ai peur.

— J'ai quelque chose pour toi, Moreira. Tu vas faire
un long voyage. N'enlève pas le mouchoir. Je veux vérifier ta forme.

— Je le savais. Dès que j'ai vu ton mot, j'ai su que
vous ne me laisseriez pas tomber. Mélange bien les
pièces. J'ai toujours été le meilleur à ce jeu-là.

Mais Frank Galinsky ne démonta pas le pistolet. Il fixa le silencieux de fabrication locale et le braqua sur la tête de l'homme aux yeux bandés.

Moreira reçut la balle entre les yeux et partit en arrière d'un bloc, chaise comprise. A terre, il parvint à enlever le mouchoir qui lui couvrait les yeux mais, dans cette position humiliante, il ne put voir l'Allemand assis de l'autre côté de la table. La dernière chose qu'il aperçut fut la grimace cynique du casse-noix saxon.

Trois. *Terre de Feu :*
intimité.

Le vieil homme défit le haut de sa salopette crasseuse et s'assit sur le lit pour que Griselda lui ôte le bas. Puis il s'allongea en regardant le toit de tôle neuf dont les ondulations reflétaient la flamme de la lampe. La femme lui demanda s'il voulait mettre sa chemise de nuit et le vieil homme répondit qu'il préférait rester comme ça, en caleçon long et chemise de flanelle qui, à force de transpiration, avaient pris la couleur cendreuse de ses cheveux. Couché sur le dos, il eut d'abord un soupir, puis laissa échapper de sa gorge un murmure incompréhensible, celui d'un homme à qui le poids des ans fait confondre ses douleurs avec ses joies.

— Vous ne vous sentez pas bien, don Franz ? demanda la femme.

— Fatigué, c'est tout. Et puis qu'est-ce que ça peut te faire, vieille curieuse ?

— Quelle tête de mule, aussi. Refaire le toit à la fin de l'été sans permettre à personne de vous aider. Je ne comprends toujours pas pourquoi vous avez fait ça. Le toit de chaume était bien meilleur. Vous allez geler, avec le zinc.

— Sornettes. La neige va bientôt tomber et après il fera très chaud. Les Esquimaux vivent dans des maisons en glace. Tu connais les Esquimaux ? Qu'est-ce que tu en sais, vieille idiote ?

— Vous êtes fou, comme tous les *gringos*. Et couvrez-vous, on vous voit les parties.

– Forcément, si tu ne recouds pas mes boutons, ma carotte prend l'air. C'est pas ma faute. Si elle te gêne, regarde ailleurs. Vieille guenon. Qu'est-ce que tu as fait à bouffer ?

– Du bouillon de poule. Vous savez que vous ne devez rien manger de lourd le soir. Le docteur Aguirre vous l'a dit.

– Tu me fais rigoler. Putains de soupes. Qu'est-ce qu'il y connaît, ce vétérinaire. Je veux mâcher, tu m'entends ? Dehors, il y a des côtes de… comment tu appelles ce mouton qui a des cornes, que Jacinto a apporté ?

– Cabri, don Franz. Cabri. Jacinto vous a apporté des côtes de cabri. C'est incroyable, après toutes ces années, vous ne savez toujours pas parler comme un chrétien.

– Je parle espagnol mieux que toi, vieux canard. Fais-les griller et mets de la musique. Plein de musique.

– Comme vous voudrez. Je vais vous faire griller du mouton à cornes, mais ne vous plaignez pas, après, si vous avez mal au ventre.

De son lit, le vieux Franz regarda Griselda ôter le napperon brodé qui couvrait le phono. La femme releva le couvercle en bois, remonta la manivelle, sortit de l'armoire un lot de disques soixante-dix-huit tours et choisit celui que le vieil homme préférait. Le bras à aiguille s'abattit sur les sillons, et l'*estancia* se remplit d'abord du bruit des petites dents voraces des engrenages qui perçaient un trou dans le temps ; puis, ce trou ouvert, une voix masculine s'y glissa, mi-mélancolique mi-ennuyée, dont la chanson invitait davantage à la marche qu'aux frous-frous d'une danse de salon. Griselda ne comprenait pas un mot de ce que cet homme chantait, mais elle sentait que cette voix cassée avait dû éveiller de grandes passions dans cette patrie du vieil homme qu'elle ne pouvait imaginer. Chaque fois qu'elle l'entendait, elle se disait que les navigateurs perdus en pleine mer devaient avoir cette voix-là.

La femme ranima le foyer. Avec une pelle à manche court, elle fit deux petits tas de braises et les disposa sous le gril. Après quoi, elle sortit dans la nuit transparente d'automne, se signa comme toujours sous les milliers d'étoiles qui gardent les âmes des naufragés, et découpa une portion généreuse dans le quartier de cabri qui prenait le frais accroché à un fil de fer. De son lit, le vieil homme lui cria de bien griller la graisse, de lui servir un verre de vin et de mettre l'autre face du disque.

Griselda finit de faire cuire la viande et, en revenant près du vieil homme, elle le vit les yeux fermés, avec une expression de satisfaction sereine qu'elle ne lui avait jamais connue.

— La viande est prête. A table.

— Apporte-la. Je vais manger au lit.

— Vous allez salir les draps, don Franz.

— T'occupe pas de mon lit. Moi je m'occupe pas de tes fesses. Mais peut-être que c'est ça que tu veux, vieille vicieuse ?

— Ne soyez pas grossier, don Franz. Sinon je m'en vais tout de suite.

— Je plaisante, vieille ânesse. La bagatelle, c'est fini. Ma pauvre carotte n'est plus bonne que pour pisser, et encore, elle a souvent du mal. Sers le rôti et bois un coup avec moi, vieille dinde.

Le vieil homme mangea avec un appétit digne d'envie. Il dévora l'une après l'autre les côtelettes dorées et, sans se soucier du regard réprobateur de Griselda, essuya ses doigts graisseux sur le drap. Il but trois verres de vin et, un peu ivre, ordonna à la femme de lui en servir un quatrième et de remettre le disque.

Griselda obéit. Elle tourna la manivelle, mit le disque en marche, jeta des bûches dans la cheminée et, de retour près du vieil homme, le trouva en train de fredonner le refrain de la chanson.

— *Auf der Repperbahn nachts um halb eins…* Tu sais qui chante, vieille Patagone ?

— Et comment je saurais, don Franz ?

— Hans Albers. Un type dans le genre de Carlos Gardel. En l'entendant, les femmes faisaient pipi dans leur culotte.

— Et de quoi parle la chanson, don Franz ?

— D'une rue de Hambourg où il y a plus de putes que de moutons dans ton pays. Une bien jolie rue.

— Vous êtes vraiment bizarre, don Franz. Et cochon. Vous feriez mieux d'arrêter de boire.

— Je plaisante, vieille moustachue. Bois, toi aussi. Il faut qu'on cause, mais d'abord, répète-moi ce que t'a dit ton fils.

— Encore ? Je vous l'ai déjà dit vingt fois.

— Ça ne fait rien. Répète. Vieux perroquet.

Griselda lissa son tablier. Elle but une gorgée de vin et lui répéta encore une fois qu'à la poste de Punta Arenas où son fils travaillait, un étranger était venu demander où se trouvait le poste numéro cinq de la Terre de Feu. Et que l'étranger cherchait un certain Hillaman, ou Halmann, elle ne se rappelait plus très bien.

— Hillermann, vieille sourde. Hillermann.

— C'est possible. Nous autres, on a des noms de chrétiens. Pourquoi vous vous faites de la bile ? L'étranger n'a pas mentionné votre nom. Mon fils lui a répondu qu'il connaissait beaucoup de *gringos*, mais aucun qui s'appelle comme ça.

— Le disque, vieux sac à puces.

Griselda obéit encore. De la table du phono, elle alla à la cheminée pour mettre la théière sur les braises. Elle changea l'herbe à maté en secouant la calebasse et revint vers le lit. Le vieux était de nouveau sur le dos et contemplait le zinc luisant du toit.

Ces *gringos* sont bizarres, se dit Griselda. Mettre un toit de bergerie sur sa maison ! Le vieux lui montra le verre vide.

– Griselda ! Il fait froid, dehors ?

– Ça commence. Le détroit est bleu sombre, et aujour-d'hui j'ai vu deux outardes qui volaient vers le nord.

– Ça fait combien d'années que tu me connais, vieille idiote ?

– Vingt ? Ou plus ? Je venais de tomber veuve quand vous êtes venu réparer les machines de la scierie. Vingt ans, à peu près.

– Écoute, vieille mule, et discute pas : si je meurs, tout ça, maison, moutons, terrain, c'est à toi. Le notaire de Porvenir, il est au courant. Le docteur Aguirre aussi. Tout est à toi, alors te laisse pas voler, vieille idiote. Le cheval, il est pour ton fils : avec toi, pas de foin pour le pauvre *mantungo*. Il va crever de faim : avec toi, rien que de la soupe. Tu as compris ?

– Ne parlez pas de ces choses, don Franz. Ça porte malheur, quand le guanaco partage sa peau avant d'être attrapé par le condor.

– Discute pas. Tout est à toi. Mais à une condition : tu ne dois jamais vendre ni démolir la maison. Ni changer le toit. La maison, c'est mon monument. Quand tu meurs, tu la laisses à ton fils. Il sait quoi faire.

– Vous me faites peur, don Franz. J'espère que vous n'avez pas de secrets malhonnêtes, comme Walter Rauff, le monsieur de Punta Arenas. Ils sont venus, toute une troupe, pour essayer de l'emmener de force. Il paraît que c'étaient des Juifs et qu'ils venaient en sous-marin. Il y a même eu des morts, dans cette histoire.

– Mais ils l'ont pas eu. C'est dommage.

Le vieil homme demanda à la femme de mettre encore une fois le disque. Il s'assit, alluma sa pipe et sourit en découvrant le goût âcre qui se mêlait à l'arôme du tabac danois. Il reconnut la main protectrice de Griselda, qui glissait en catimini un peu de crottin de cheval dans la boîte. Comme tous les Patagons et les Fuégiens, Griselda attribuait de grandes vertus au crottin pour prévenir les rhumatismes et, quand elle n'en mettait pas dans le tabac c'était dans l'herbe à maté.

Tout en fumant, le vieil homme regarda longuement les objets qui lui tenaient compagnie depuis plus de vingt ans. La plus grande part, comme la maison elle-même, était le fruit de son ingéniosité et de l'habileté de ses mains. La maison était une large nef construite avec les débris d'un voilier *yankee* échoué sur les récifs du cap Camerón. La bonne et noble charpente en bois de l'Oregon servait de murs, aux jointures dûment calfatées, tandis que les lattes du pont, poncées par les vagues de tous les océans, formaient un plancher chaud. L'ensemble mesurait environ soixante-dix mètres carrés. La porte principale était orientée au sud-ouest, vers la Baie Inutile, et celle de derrière au nord-est, ouvrant sur les hauteurs du Boquerón. Une cloison fabriquée avec les panneaux d'écoutilles de l'infortuné voilier séparait la réserve de la partie habitable et, dans cette dernière, une cheminée en pierres plates aussi haute qu'un cheval parlait d'hivers paisibles, quand la neige recouvrait tout. Derrière, un sentier de planches bordé de pommiers menait aux cabinets. C'était une des meilleures maisons de la région, parée désormais d'un toit neuf en zinc étincelant. Le vieil homme esquissa un sourire en comprenant qu'il était en train de lui dire adieu sans le moindre soupçon de douleur.

– Vous pouvez venir, salopards. Vous arriverez tout près de ce que vous cherchez, mais vous ne le trouverez pas, parce que les gens comme vous ne connaissent que les égouts, murmura-t-il dans son ancienne langue, et il s'aperçut que la femme dodelinait de la tête sur sa chaise.

– Griselda !

Elle ne répondit pas. Elle dormait assise, les mains croisées sur le ventre. Oui, il la connaissait depuis plus de vingt ans. Il se rappela le temps où, fatigué de vivre comme un vieux cormoran sur la pointe sud de l'Ile Navarin, il avait décidé qu'il s'était déjà caché trop longtemps, que la lourde fortune qu'il gardait dans une

boîte en fer-blanc n'était décidément plus qu'une dou-
teuse ironie du destin ; et il était passé sur la Terre de
Feu pour y travailler comme mécanicien à la scierie de
Lago Vergara.

Personne ne posait ni ne se pose de questions, sur la
Terre de Feu. Tout étranger qui arrive jusqu'à ces confins
le fait pour échapper aux autres, à quelque chose, ou à
soi-même. Le passé n'existe pas sous ces latitudes.

Il avait vécu deux ou trois ans à la scierie, parmi des
hommes nobles et des hors-la-loi, quand un jour, en par-
courant la Baie Inutile, il avait découvert l'épave du voilier et, en voyant la robuste texture du bois de sa charpente,
il s'était dit que l'heure était venue de construire une
maison.

Quelqu'un lui avait dit que la solitude était mal vue et
lui avait parlé de Griselda, la veuve d'Abel Echeverría,
un pêcheur de coquillages qui avait plongé, certain
matin funeste, sur les bancs de moules du fjord Almi-
rantazgo, et n'était remonté à la surface que trois mois
plus tard et trente milles au sud, pris dans une demi-
tonne de glace. Là, le cadavre avait rencontré Nilssen,
un vieil homme qui vit en vagabond sur les mers aus-
trales à bord de son cotre déjà légendaire à l'époque, le
Finisterre. Nilssen et son marin, un gigantesque Alaca-
lufe que l'on appelle Petit Pedro, l'avaient pris en
remorque pour le ramener à Porto Nuevo et, comme on
était en hiver, ils l'y avaient enterré sans le sortir du cercueil de glace dans lequel ils l'avaient trouvé.

Le vieux Franz avait dépensé ses meilleures années à
briser la résistance de la veuve et quand, enfin, une
brève nuit d'été, il avait réussi à se faire accepter dans
ses draps, ils avaient découvert tous les deux que leurs
vies étaient trop imprégnées de souvenirs qui exigeaient
le silence, et que la seule chose qu'ils pouvaient encore
faire ensemble était d'essayer de se construire des souvenirs neufs, de ceux qui ne sont pas contaminés par la
distance et qui, quand on arrive à se les créer, offrent le

plus chaud des refuges. Comme cela prend du temps, ils avaient décidé de jouer une fois pour toutes au *gringo* seul et à la femme de ménage, relation qu'elle authentifiait en lui disant toujours vous.

– Griselda ! Vieille otarie !

– Oui, don Franz… Excusez. Je crois que je me suis endormie.

– Tu parles ! Tu regardais ma carotte et tu voulais venir dans mon pieu.

– Vous être incorrigible, don Franz. Je ferais mieux de m'en aller. Demain je changerai les draps, regardez-moi comme vous les avez salis avec la graisse.

– Il fait froid, dehors ?

– Oui. Je vous ai dit que le détroit a changé de couleur. La première gelée n'est pas loin.

– Pauvres vieux oiseaux.

– Vieux oiseaux ? Quels vieux oiseaux ?

– Les charognards. Sur le chemin, j'en ai vu deux en l'air, et j'en ai encore vu d'autres en changeant le toit. Ils doivent avoir froid, là-haut.

– Je vous laisse la théière et le maté au chaud.

Avant de partir, la femme s'enveloppa dans un épais poncho et se couvrit la tête d'un bonnet de laine. Elle lui souhaita une bonne nuit, remit quelques bûches dans la cheminée et referma la porte derrière elle.

Le vieil homme entendit l'aboiement joyeux du chien de Griselda. Il se leva, et alla à la fenêtre : il voulait la regarder s'éloigner sur sa placide jument pommelée, mais la vitre ne lui renvoya que le reflet de sa propre image fatiguée.

Hans Hillermann se versa un autre verre. Il jeta une canadienne sur ses épaules, traîna une chaise et s'assit devant la cheminée. D'une poche de la canadienne, il tira la lettre qu'il avait reçue sept jours plus tôt. Il la relut une dernière fois et la lança dans les flammes.

– Ils sont arrivés, Ulrich. Merci de m'avoir prévenu.

Je ne sais pas combien ils sont, mais ils sont arrivés. A ta santé. Dommage, tu ne goûteras jamais le vin chilien, Ulrich. Il est épais et noir comme la nuit allemande. A ta santé, camarade. Je t'ai attendu quarante ans et des poussières. Je pouvais fondre cette merde qui brille et la vendre au poids, mais je t'ai attendu, j'espérais toujours te voir débarquer un beau matin. On se serait assis avec une bouteille de vin face au détroit de Magellan et on aurait fait un brin de causette, tout en lançant dans la mer notre fortune inutile. C'était un beau rêve, Ulrich, un bien joli rêve, seulement chacun sait que le chat peut voler un bifteck au boucher, mais jamais le bœuf entier. Alors à ta santé, Ulrich. Je vais les baiser, je te dois bien ça.

Hans Hillermann se leva, se dirigea vers l'étagère où il rangeait le vin et le tabac, prit le fusil à double canon et des cartouches. Puis il gagna la table du phono, remonta la manivelle et posa l'aiguille sur les sillons du disque.

– *Auf der Repperbahn nachts um halb eins...* fredonna-t-il, et il n'alla pas plus loin car, à cet instant précis, son pouce droit écrasa les deux détentes. Hans Albers continua la chanson tout seul, et des gouttes de sang giclèrent jusque sur le zinc neuf.

Quatre. Santiago du Chili : surprises de la vie.

A neuf heures du matin, le soleil cognait fort sur l'aéroport de Santiago. Allons. Je foulais le sol chilien après seize ans dans le vaste monde. Pourquoi n'es-tu pas partie avec moi, Veronica ? Pourquoi une sorcière ne nous a-t-elle pas vendu le filtre qui permet de voir l'avenir ? Pourquoi cette fièvre inexplicable que nous appelons fidélité aux principes s'est-elle interposée entre notre amour, nous séparant et nous laissant sur deux fronts différents ? Pourquoi ai-je été aussi stupide ? Pourquoi ?

— Belmonte. Juan Belmonte, dit l'agent d'Interpol en examinant mon passeport.

— Oui. C'est mon nom. Quelque chose qui cloche ?

— Non, rien. Nous sommes en démocratie. Rien du tout.

— Alors quoi ?

— C'est que vous avez le même nom que le célèbre torero. Vous le saviez ?

— Non. C'est la première fois qu'on me dit ça.

— Il faut lire. Belmonte, c'était un grand torero. Dites donc, ça fait des années que vous n'êtes pas venu au Chili.

— Eh oui. Je suis un touriste impénitent et le monde est rempli d'endroits passionnants.

— Je ne veux pas savoir ce que vous avez fait à l'étranger, ni les raisons pour lesquelles vous êtes parti. Mais quand même, je vous donne un conseil, et gratis :

ce pays n'est plus celui que vous avez quitté. Les choses
ont changé, et en mieux, alors n'essayez pas de causer
des problèmes. Nous sommes en démocratie, et tout le
monde est content.

   Le flic avait raison. Le pays était en démocratie. Il ne
se donnait même pas le mal de dire que les Chiliens
avaient, ou qu'on avait, retrouvé la démocratie. Non. Le
Chili « était » en démocratie, ce qui revenait à dire qu'il
était sur le bon chemin et que toute question inopportu-
ne pouvait le faire dévier de la voie correcte.
   Peut-être que ce flic avait fait une partie de sa carrière
dans ces prisons qui n'ont jamais existé ou dont il est
impossible de se rappeler l'emplacement, et qu'il y
avait interrogé des femmes, des vieillards, des adultes
et des enfants qui n'ont jamais été arrêtés et dont il est
impossible de se rappeler les visages, puisque, quand la
démocratie a ouvert ses cuisses au Chili, elle a d'abord
annoncé le prix et que la monnaie dans laquelle elle
s'est fait payer s'appelle oubli.
   Peut-être aussi que ce flic qui se permettait maintenant
de me donner le conseil de ne pas causer de problèmes
était un de ceux qui s'étaient acharnés sur Veronica, sur
toi mon amour, sur ton corps et ton esprit, et qui jouissent
aujourd'hui de l'impunité des vainqueurs, parce qu'ils
nous ont battus, mon amour, ils nous ont battus olympi-
quement et niqués jusqu'au trognon, sans même nous
laisser la consolation de croire que nous avons perdu en
luttant pour la meilleure des causes. Et, comme on ne
peut pas sauter à la gorge du premier salaud venu sous le
simple prétexte qu'il est un salaud, je décidai de m'éloigner le plus vite possible du contrôle de police.

   Obéissant aux instructions de Kramer, j'allai dès la
sortie aux guichets de la compagnie nationale. Là, on
me remit le billet pour Punta Arenas. J'avais deux
heures devant moi, et je laissai ma valise pour quitter le
hall et retrouver la chaleur

L'aérogare est entouré d'un parc de conifères ; j'achetai un journal au hasard, et me dirigeai vers un banc à l'ombre. Une fois là, j'étudiai la course du soleil et m'orientai vers le sud. Quelque part là-bas, dans cette direction, se trouvait Veronica. Je me sentis presque joyeux d'avoir dans ma poche le billet pour Punta Arenas. J'avais tellement peur de cette rencontre.

J'ouvris le journal. Il parlait des difficultés de la sélection chilienne de football, de la croissance des exportations, de la satisfaction manifestée par les touristes qui passaient leurs vacances dans les stations de la côte. Au milieu des informations trônaient les photos d'individus souriants, triomphants, maîtres de l'avenir. Je reconnus plusieurs dirigeants de la gauche révolutionnaire sous les costumes bien coupés et les cravates design. J'encaissai le coup, je crois que je suis encore solide et le dégoût ne me fait pas perdre le nord, mais je crois aussi que j'eus quand même un sursaut quand je vis la photo de l'homme qui avait les yeux grands ouverts et un trou au milieu du front.

L'article parlait d'un crime.

« C'est à son domicile, dans l'appartement n° 3-C du 120 de la rue Ureta Cox, qu'a été retrouvé le cadavre de Bonifacio Prado Cifuentes, quarante-cinq ans, marié, sans profession. Prado Cifuentes a été tué d'une balle tirée à bout portant. D'après les informations données par la brigade criminelle, Prado Cifuentes est mort quarante-huit heures environ avant la découverte de son corps par son épouse, Marcia Sandoval, dont il était séparé. Interrogés par la police, les voisins de l'immeuble ont déclaré ne pas avoir entendu de bruits de lutte et moins encore de coups de feu dans l'appartement de la victime. Prado Cifuentes travaillait comme intendant de la crèche Lucero, dans la commune de San Miguel. Ses compagnons de travail le décrivent comme un homme au caractère réservé… »

La vie nous réserve de ces surprises. Pendant des années, j'avais voulu rencontrer ce salopard dont je ne connaissais que la couverture politique : « Galo », le « commandant Galo ». Et il suffisait que je débarque au Chili pour que, dans la demi-heure suivante, un journal me le livre avec une balle entre les yeux et son identité complète.

Je l'avais connu de la pire des façons, au Nicaragua, au début des années quatre-vingts.

Les internationalistes de la Brigade Simon Bolivar avaient été avertis de l'arrivée d'un contingent de Chiliens et d'Argentins, des hommes formés dans les académies militaires de Cuba, d'URSS et d'autres pays socialistes, qui, le dernier coup de feu tiré contre la garde de Somoza, débarquaient au Nicaragua pour s'y livrer à un travail d'épuration idéologique. Nous n'en avions pas peur et ils ne nous intéressaient pas, peut-être parce que les Nicas nous avaient transmis cette idée toute simple que, quand un mec a des couilles, c'est pour s'en servir : ces types qui n'avaient pas participé au bal n'avaient rien à faire dans notre orchestre. Eux, bien sûr, ils ne voyaient pas les choses comme nous.

Une nuit de janvier 1980, cinq individus masqués m'ont intercepté près de l'endroit où je vivais. Je n'ai pas eu le temps de protester que déjà ils me frappaient avec les crosses de leurs kalachnikovs impeccables, des armes toutes neuves qui n'avaient jamais tiré la moindre balle contre la garde somoziste. Ils m'ont jeté sur le plancher d'une jeep où ils m'ont écrasé à coups de bottes. Je me souviens que j'ai perdu connaissance et que, quand j'ai rouvert les yeux, j'étais nu et couvert de contusions dans une pièce vide. Les séances de coups de pieds se sont répétées plusieurs fois, à des intervalles suffisamment rapprochés pour que je ne profite pas des périodes d'inconscience. Ces gorilles connaissaient leur travail. Ils savaient qu'en se réveillant du quatrième ou du cinquième K.-O., la victime a perdu la notion du temps et ne sait plus où elle est. Mais moi, je connaissais très bien cette pièce. C'est alors qu'est apparu Galo.

Il m'a fait asseoir les mains attachées aux pieds de devant de la chaise. Dans notre vieil argot, nous appelions cette position le « *Pau de arara** du bureaucrate ». Elle était d'autant plus inconfortable que toute velléité de me pencher en avant était contrecarrée par le gorille qui me tenait par les cheveux. Galo s'est assis en face de moi, le visage découvert.

— Regarde-moi bien. Je suis le commandant Galo et nous allons bavarder un peu. Nom et nationalité ?

— Commandant de colonne Ivan Leiva. Nicaraguayen.

— J'en ai rien à foutre, de ton grade. Tu t'appelles Juan Belmonte et tu es chilien.

— Commandant de colonne Ivan Leiva. Nicaraguayen. Tes hommes ont mes papiers.

— Tes papiers, je me torche le cul avec. Tu es chilien. Infiltré pour déstabiliser le processus révolutionnaire. Tu es un agent de la CIA.

— Communiste paranoïaque. Prouve-le. Et si tu veux vraiment me désorienter, dis à tes gorilles de m'emmener ailleurs. Je connais cette pièce. Je sais où on est : dans le bunker. C'est ici que nous avons jugé un certain nombre de collabos, après la victoire. Tu sais de quoi je parle, au moins ? Tu es au courant qu'il y a eu une insurrection au Nicaragua ?

Les tabassages ont duré plusieurs semaines et les accusations sont descendues d'un niveau : d'agent de la CIA, je suis passé à provocateur. De là à trotskiste, puis à anarchiste et, enfin, mon grand péché est devenu d'avoir combattu au côté de Chato Peredo en Bolivie. J'entrais dans ma troisième semaine de bunker, quand j'ai eu la chance d'être aperçu par un commandant sandiniste.

---

* Perchoir à perroquet : cette torture pratiquée, entre autres, par les militaires brésiliens (d'où son nom portugais) consiste à lier ensemble pieds et mains de la victime derrière son dos et à la suspendre à une barre.

– Frère ! Qu'est-ce que tu fous là, et à poil ?

– Demande ça à Galo.

Il m'a sorti de là en injuriant les gorilles aux uniformes neufs, lesquels répondaient en claquant des talons, poing fermé sur le cœur. Tandis que nous marchions dans les rues en ruines de Managua, le sandiniste m'a mis au courant du travail de Galo.

– Ils ont alpagué tous les camarades de la Brigade Simon Bolivar. Ils les ont désarmés, arrêtés et jugés. A leur façon, bien sûr. La Brigade n'existe plus, frère. Désolé : mais la politique est l'art de négocier, et les Cubains ont leurs exigences. Tu comprends ?

J'ai compris. J'ai si bien compris que j'ai dû renoncer à ma nationalité nicaraguayenne toute neuve, revenir à la chilienne, au nom de Juan Belmonte et quitter l'Amérique Centrale. Mais au moins je suis là pour le raconter. D'autres n'ont pas eu cette chance, qui ont disparu dans les culs-de-basse-fosse argentins, paraguayens, uruguayens, parce que Galo s'est chargé de les restituer à leurs pays d'origine.

Je commençais à éprouver de la sympathie pour l'assassin de Galo, quand un détail, dans le journal, m'inquiéta. A côté du cliché qui montrait son visage en gros plan, il y en avait un autre, de la pièce, qui montrait le corps gisant près de la chaise renversée.

A peu de distance de ses pieds on voyait une bibliothèque et, sur l'étagère du haut, se détachait une silhouette qui me parut familière.

Les détails de la photo étaient flous. Je revins à l'aéroport et allai droit au stand de la presse. Je vis avec soulagement qu'on y vendait des loupes de lecture. J'en achetai une, et l'image agrandie me permit d'identifier le pantin : c'était un casse-noix en bois. Un typique casse-noix saxon.

Cela ne me plut pas. Et chaque fois qu'il y a quelque chose qui ne me plaît pas, mes neurones se mettent à carburer.

L'article du journal disait que Galo travaillait dans une crèche depuis deux ans. Cela signifiait qu'il était rentré au Chili sous la dictature. En 1980, c'était un homme jeune qui avait acquis une large expérience et des mérites. Après son travail au Nicaragua, le parti avait dû nécessairement l'envoyer dans un pays socialiste pur et dur. Pas à Cuba. Les Latino-Américains finissent toujours par trouver le moyen de régler leurs vieilles ardoises, et les Colombiens de la Brigade Simon Bolivar qui avaient réussi à sortir indemnes du Nicaragua s'étaient juré de lui faire la peau. Donc pas à Cuba. Ni en Chine ou en Corée. Les camarades aux yeux bridés commerçaient avec Pinochet. Pas non plus en URSS. Au cours de cette même année 1980, le PCUS avait stoppé la préparation militaire des Chiliens. Les Soviétiques venaient de découvrir que l'appareil militaire du parti communiste était infiltré par la dictature. Le travail accompli par Galo au Nicaragua méritait que son auteur reçoive un prix, et le seul endroit où l'on pouvait lui en donner un était à Cottbus : l'Académie des services de renseignement militaire de la RDA. Ce casse-noix saxon était là pour m'apporter la preuve que Galo était allé à Cottbus et, du coup, m'inciter à me poser toute une série de questions : si Galo était passé par Cottbus, est-ce qu'il y avait connu le Major ? Était-il l'homme du Major au Chili ? Si cela se confirmait, le cadavre de Galo annonçait des difficultés que ni moi ni Kramer n'avions prévues.

— Je désire reporter mon vol pour Punta Arenas, dis-je à l'hôtesse du comptoir.

— Quand voulez-vous partir, monsieur ?

— Demain ou après-demain.

— Je vais faire les réservations, monsieur Belmonte. Mais, s'il vous plaît, en cas de nouveau report, faites-le savoir plusieurs heures avant le départ de l'avion.

— Merci. Vous êtes bien aimable.

— De rien. Nous sommes en démocratie.

Santiago. Quelle laideur ! Il était midi et le soleil tapait comme un sourd. Je sortis du métro à la station Gran Avenida, juste à quelques mètres de la rue Ureta Cox. Je ne savais pas ce que j'allais chercher dans l'appartement de Galo, mais j'étais sûr de le trouver. Devant l'immeuble, il y avait une usine. Des ouvriers en bleu entouraient une buvette. Je m'approchai et demandai une glace.

— Putain, quelle chaleur ! dit un petit gros qui me rappela Pedro de Valdivia.
— C'est bien vrai. *Hace mas calor que la cresta**, répondis-je tout surpris de retrouver le parler chilien.
— *Y uno trabajando, como huevón**, enchaîna le petit gros.
— Faut bien bosser, pas vrai ?
— Bien sûr. Et vous ? *En qué se las machuca** ?
— Je suis encaisseur dans une fabrique de meubles. J'attends un client qui habite en face.
— Là où un type s'est fait buter ?
— Tout juste. C'est bizarre, on ne voit pas de flics.
— Il y en a. La police a laissé deux carabiniers, mais ils sont en train de déjeuner au café du coin.

Je montai l'escalier quatre à quatre. La porte 3-C n'était pas fermée à clef, comme si le ruban de plastique qui portait les scellés judiciaires était une barrière suffisante. J'entrai. La première chose que je vis fut la silhouette de Galo tracée à la craie sur le sol. J'allai droit à l'étagère et pris le casse-noix saxon. Je le retournai. Une dédicace en allemand y était gravée : « *Genosse Moreira, wir werden siegen. Berlin, 7 November 1985.* » Camarade Moreira, nous vaincrons. *Venceremos !* Cette blague-là avait donc cours aussi en RDA ? Souvenir du jour de la Révolution bolchevique. Je parcourus les

---

* Quelle fournaise… Et faut quand même travailler comme un couillon… Et vous, c'est quoi votre boulot ?

chambres à la recherche de je ne savais toujours pas quoi, jusqu'à ce que, soudain, je m'avise que j'étais en train de me conduire stupidement. Allons, Belmonte : tu la mettrais où, toi, ta cachette ?

J'enroulai un poing avec une serviette et je cassai la glace de la salle de bain. Il ne fut pas difficile de trouver la brique descellée. Dans la cachette, je trouvai une baguette pour nettoyer un pistolet calibre neuf, une boîte d'huile « Walter » et une clef portant l'inscription : « Correos de Chile 2722 ».

Je sortis d'un pas tranquille. Apparemment, les carabiniers s'offraient un bon déjeuner.

Arrivé au carrefour de la Gran Avenida et de la rue Ureta Cox, je pensai que je n'avais qu'à monter dans le métro et, en cinq minutes, je serais devant la maison de madame Ana. Est-ce que Veronica aurait une réaction ? Est-ce que ça serait, mon amour, comme si tu te réveillais d'un long sommeil ? Tu me bombarderais de questions, et moi je ne serais pas sûr de pouvoir y répondre ? La clef à la main, j'entrai dans un restaurant.

— Que désirez-vous ? demanda le serveur en me saluant.
— Qu'est-ce qu'il y a au menu ?
— Tourte de maïs, salade, rôti avec des frites, vin ou eau.
— Rôti.
— Non. Le menu comprend tout, avec le dessert, bien entendu.

Je fus surpris de voir que je ne sentais pas la fatigue des heures de vol et qu'en plus je mangeais avec voracité. « Allons, Belmonte. On dirait bien que tu es toujours chilien », me dis-je en taillant dans la viande.

Galo, Moreira, quel que fût son nom, devait avoir loué une boîte postale dans un bureau de poste de quartier, mais pas le sien. Et pas non plus près de son travail. Le fait que la clef ait été cachée avec tant de soin

indiquait l'importance de la boîte. Ce devait être dans
un bureau très fréquenté, mais pas la Poste centrale.
Avant de payer, je demandai l'annuaire du téléphone et
consultai la longue liste des postes de Santiago.

Au bureau de l'avenue Matta, que je choisis pour les
commerces qui l'entouraient, chou blanc. La clef ne
correspondait pas. Au bureau du marché central, idem.
Il était futé, le Galo. Je mis trois heures à trouver la
bonne poste. Elle se trouvait dans un immeuble qu'elle
partageait avec une administration municipale, une
banque et un centre commercial.

J'ouvris le casier. Il était vide. Après avoir jeté un
coup d'œil sur le personnel, je décidai de bluffer. J'allai
voir le fonctionnaire le plus âgé.

— Monsieur, excusez-moi, quel est le prénom de la
nouvelle ?

— Laquelle ? Il y en a deux. La blonde ?

— Non, l'autre.

— Ah ! Jacqueline. Elle s'appelle Jacqueline.

— Merci. Je ne me souvenais pas. Merci.

— Bien sûr. Elle est toute nouvelle.

Bénie soit la coutume qui oblige les fonctionnaires à
annoncer leur nom sur une plaque en acrylique.

Je me rendis au guichet qui portait le nom de « J. Gatica »
pour continuer mon bluff.

— Mademoiselle. Pouvez-vous m'aider ?

— A votre service.

— J'ai une boîte postale et j'attends une lettre d'Allemagne. Elle vient de mon frère, vous comprenez, et elle
contient des papiers importants. Je suis inquiet, parce
que j'ai eu mon frère hier au téléphone et il m'a dit qu'il
l'avait envoyée il y a deux semaines. Qu'est-ce qui a
bien pu se passer ?

— Quel est votre nom ?

— Bonifacio Prado Cifuentes, boîte postale 2722.

J. Gatica se leva et consulta un gros cahier. Elle nota
quelque chose sur un papier et revint.

– La lettre est arrivée, monsieur. Nous l'avons mise dans votre casier il y a neuf jours. Elle venait de Berlin, Alexanderplatz, et l'expéditeur a mis ses initiales : W. S.

– Ça, alors ! C'est probablement ma femme qui l'a retirée, et elle a oublié de me la donner.

– Ça doit être ça, monsieur.

Santiago m'apparaissait comme une ville neuve sous de nombreux aspects. Certains me réjouirent, dont l'un était la prolifération des cabines téléphoniques dans les stations de métro. Cinq heures de l'après-midi au Chili. Dix heures à Hambourg. Kramer attendait mon appel de la Terre de Feu à minuit. J'étais en avance.

– Belmonte ? Comment ça marche ? Où es-tu ?

– Si vous voulez mon avis, ça ne marche pas du tout. Je suis à Santiago.

– Qu'est-ce qui se passe ?

– Écoutez, Kramer : je veux que vous vous serviez de vos relations avec la police au plus haut niveau. Je veux que vous vérifiiez s'il existe quelque chose concernant un individu dont les initiales sont W. S. Je crois que c'est un homme du Major.

– Très bien. Cherche un hôtel et rappelle-moi.

Les ordinateurs de la police allemande furent efficaces. A huit heures du soir, dans une chambre de l'hôtel Santa Lucía, j'eus de nouveau Kramer au téléphone. L'infirme était euphorique.

– Belmonte ? T'as mis dans le mille !

– Crachez plutôt le morceau.

– W. S. : Werner Schroeders. C'était le nom de service d'un officier de la police secrète de la RDA, affecté à la base de Cottbus. Il s'appelle en réalité Frank Galinsky, et ce n'est pas tout : il est parti voilà quatre jours pour Santiago du Chili. Demain, tu files à la Terre de Feu. Il n'y a pas de temps à perdre.

— Mais il y a un problème, Kramer.

— Lequel ?

— C'est que le mec a un pistolet neuf millimètres.

— Impossible. Personne ne peut passer des armes sur un avion de la Lufthansa.

— Il l'a acheté ici. Et il a tué le vendeur.

— On a un contrat, Belmonte. Demain, tu m'appelles du sud.

— Je remplirai le contrat, Kramer. Mais je vais agir à ma façon.

Je regardai la nuit tomber sur Santiago. Veronica était si près, si près mon amour : et j'étais là avec ma peur de notre rencontre qui, lentement, cessait d'être peur, et si je ne courais pas me jeter dans tes bras, c'était parce que j'étais paralysé par cette maudite fièvre qui me force à aller jusqu'au bout de ce que j'entreprends, et parce que la proximité de l'action m'avait fait retrouver un chemin que je croyais perdu, Veronica mon amour : le chemin qui me mènerait à celui que j'ai été, à celui que tu as aimé.

Intermède

Griselda était assise près de la cheminée, à la droite du mort. A côté d'elle, son fils Jacinto et le docteur Aguirre. De l'autre côté du cercueil, Mansur, le patron de l'auberge, et sa femme Ana la muette, Santos Ledesma le châtreur de moutons, le sergent Gálvez et le carabinier Bryce, ces deux derniers étant chargés de l'étrange mission de veiller sur l'ordre public.

Tous lui avaient présenté leurs sincères condoléances, que Griselda avait d'abord reçues avec un sentiment de honte, car elles confirmaient les rumeurs malveillantes de concubinage qui avaient entouré ses relations avec le vieux Franz, mais dont très vite, elle admit le bien-fondé. Après tout, la vie lui devait un deuil en bonne et due forme, bien à elle, avec un mort au visage de cire pour présider la cérémonie. Elle n'avait pu voir le visage de son mari défunt avant son enterrement, car il avait toujours son scaphandre de plongée, pris dans la demi-tonne de glace qui le séparait du monde.

— Je ne comprends pas pourquoi il a fait ça, dit Santos Ledesma. La dernière fois que je l'ai vu, il y a quelques jours, il était en train de changer le toit. Je lui ai proposé de l'aider et il m'a répondu qu'il y a des choses qu'un homme doit faire seul. Il avait l'air bien. Je ne comprends pas son acte, mais je le respecte.

— Il était triste, ces derniers temps ? s'enquit Mansur.

— Non, sanglota Griselda. J'ai passé la soirée avec lui juste avant… enfin. Il a voulu manger du cabri grillé et je lui en ai fait. Il a bu ses petits verres et écouté la

musique qu'il aimait. Il a même blagué, avant que je
m'en aille.

— Excusez-moi, madame, mais c'est pas chrétien de
se faire sauter la cervelle, fit remarquer le carabinier
Bryce.

— Mais faut être un homme, aussi, pour faire ça, cor-
rigea le sergent Gálvez.

— Si on changeait de sujet, suggéra le docteur Aguirre.

— Vous avez raison, docteur. Viens, ma muette, dit
Mansur, et il se leva avec sa femme pour aller à la cheminée. Griselda voulut les suivre, mais Mansur lui
ordonna avec gentillesse de rester assise.

La muette rassembla les braises, posa dessus une mar-
mite avec de l'huile et, quand elle vit que celle-ci était
sur le point de bouillir, y jeta les *pequenes* qu'ils avaient
préparés – les *empanadas* sans viande, farcies à l'oignon,
qui sont le complément indispensable des veillées mor-
tuaires fuégiennes –, et les fit dorer l'une après l'autre.

Ils mangèrent penchés en avant pour éviter de se
tacher avec les gouttes de jus épais. Mansur versa du
vin, et le plateau de verres passa de main en main.

— Vous au moins, Mansur, vous savez faire les
pequenes, dit le sergent Gálvez.

— Je fais la farce. Tout l'art est dans la pâte et ça, c'est
le travail de la muette, répondit Mansur en tapotant le
bras de sa compagne.

— Vous avez une main de bonne sœur, madame, dit
galamment le carabinier Bryce.

La muette regarda Mansur avec des yeux interroga-
teurs.

— Il dit que tu as des mains de bonne sœur.

La muette sourit et redoubla de soins pour la friture
des *pequenes*. Griselda leva son verre.

— Au défunt. Qu'il repose en paix.

Tous acquiescèrent et burent en silence.

Jacinto et le docteur Aguirre sortirent à l'air libre. Le
ciel était d'un bleu intense et une bande d'outardes qui

volaient vers le nord leur fit lever la tête. Ils marchèrent jusqu'à une hauteur d'où l'on pouvait embrasser la Baie Inutile dans toute son immensité.

– La mer change de couleur. Encore un hiver qui vient, commenta le docteur.

– Dites-moi, qu'est-ce que c'est que cette histoire de testament ? Je n'ai toujours pas compris.

– C'est pourtant simple. Le vieux a institué ta mère sa légataire universelle. Elle hérite de tous ses biens : maison, terres, bêtes. Tout. Mais le testament a une clause un peu particulière : ta mère ne peut pas vendre la maison, ni faire des modifications.

– Pendant combien de temps ?

– Illimité. Mais si Griselda nous quitte un jour, alors tout sera à toi et tu pourras faire ce que tu voudras.

– Vous parlez d'une foutaise. Je n'ai jamais aimé le vieux, docteur. Je l'ai toujours considéré comme un imposteur, quelqu'un qui essayait de prendre la place de mon père. Et si je suis parti à Punta Arenas, c'est parce que je ne supportais pas les commérages qui couraient sur ma mère et sur lui. Cet héritage fait de ma mère la veuve officielle du vieux. S'il l'aimait tant que ça, pourquoi il ne s'est pas marié avec elle ?

– Tu es un idiot, Jacinto. Entre ta mère et le vieux, il y avait quelque chose de très fort et de très beau qui s'appelle l'amitié. Une amitié entre deux êtres qui ont le plus gros de leur vie derrière eux. Il arrive que ça soit plus intéressant que l'amour.

Quand ils revinrent à la maison, ils virent un nouveau cheval attaché près de ceux des carabiniers. C'était le *mantungo* du curé. Il avait l'air d'un nain poilu à côté des vigoureuses montures des gendarmes.

Entre deux bénédictions, le curé dégusta quelques *pequenes*, s'envoya un verre de vin, passa l'étole autour de son cou et s'approcha du mort.

– Au nom du Père, du Fils et du Saint-Esprit. Frère Franz, je t'absous de tous tes péchés. Nous savons peu

de choses de toi, beaucoup de détails de ta vie nous res-
teront probablement à jamais inconnus, mais il entre
peut-être dans les desseins de Dieu que cette immensité
reste pleine de secrets. Tu as commis le pire des péchés,
tu t'es ôté toi-même la vie que seul le Seigneur pouvait
te retirer. Mais je t'absous quand même. Dieu ne
regarde jamais du côté de la Terre de Feu. Amen.

TROISIÈME PARTIE

« ... *car il faut être un imbécile pour atta-cher de l'importance à autre chose qu'à l'art de rester vivant.* »

Marcio Souza,
fin de *Mad María*.

Un. Terre de Feu :
le miraculé.

En atterrissant à Punta Arenas, je rendis grâce à Pedro de Valdivia de m'avoir prêté son anorak. Le soleil brillait, mais sa chaleur était kidnappée par les rafales de vent glacial et salin qui fouettaient les arbres et les corps.

Je n'eus pas grand mal à me rendre jusqu'à la darse, ni à trouver les portes du Cinq Matelots et le Cercueil du Mort.

Je n'étais jamais venu dans cette ville australe, mais j'avais entendu à Hambourg des dizaines de marins parler du Cinq Matelots et le Cercueil du Mort comme d'un des meilleurs refuges pour les gens de mer.

A peine avais-je franchi le seuil que je me sentis chaleureusement accueilli par une salamandre allumée au milieu de la salle et l'odeur appétissante d'une estouffade d'agneau qui cuisait dans la cuisine. Le comptoir était long, en bois très poli et luisant. Derrière étaient rangées des centaines de bouteilles, des astrolabes, des compas, des pavillons et autres objets marins.

— L'agneau n'est pas tout à fait cuit, me lança le patron en guise de salut.

— Je peux attendre.

— Vous ne buvez rien ?

— Donnez-moi quelque chose pour me réchauffer.

— Alors ça sera un coup de gnôle.

Une bonne douzaine d'hommes étaient assis autour de plusieurs tables. Ils parlaient du cours des coquillages.

Ils maudissaient les pêcheurs japonais. J'allai à une table vide avec mon verre d'alcool. Un homme massif fit pivoter tout son corps pour m'adresser la parole.

— Vous jouez aux cartes, l'ami? Il nous manque un quatrième pour une partie de *truco*.

— Et qui soit prêt à payer le déjeuner, précisa un autre qui portait un casque argenté de pétrolier.

— Non. Je regrette. J'ai toujours voulu apprendre, mais je n'ai jamais eu cette chance.

— Ça ne fait rien. Si vous voulez apprendre en perdant, approchez votre chaise, dit le costaud.

Je rejoignis leur table. Le troisième homme, qui fumait la pipe, battit les cartes.

Je n'avais pas menti en affirmant que j'avais toujours voulu apprendre à jouer au *truco*, mais je n'avais aucune envie de commencer à ce moment précis. C'est toujours comme ça, dans la vie.

— J'ai un ami qui joue au *truco*, dis-je. Un sacré bon joueur.

— Patagon ou Fuégien? s'informa le costaud.

— Il est d'ici. De Punta Arenas.

— Alors il est patagon. Et comment qu'il s'appelle, votre ami? Si c'est pas indiscret, demanda le fumeur de pipe.

— Cano. Carlos Cano. Vous le connaissez?

— Cano. De la Perle du Sud, précisa le costaud.

— Lui-même. Vous savez s'il est en ville?

— Et vous, vous savez s'il a envie qu'on vous réponde? s'enquit Casque-argenté.

— Je parie le déjeuner qu'il sera content de me voir.

— Pari tenu. S'il n'est pas content, c'est nous qui vous paierons un dentier neuf, car vous en aurez rudement besoin, acquiesça le costaud.

Casque-argenté partit en annonçant qu'il reviendrait dans une demi-heure. Les autres m'invitèrent à remplacer mon alcool par le vin qu'ils étaient en train de boire.

– Nous revoilà trois. On joue aux dominos ? proposa la Pipe.

Nous commençâmes une partie de dominos. Je sentais qu'ils m'observaient du coin de l'œil. J'essayai de jouer du mieux que je pouvais, tout en pensant à la façon dont réagirait Cano en me voyant.

Carlos Cano. J'ai rarement rencontré un homme qui ait son humour. Il était capable d'inventer des blagues au milieu des situations les plus graves. Cano était le seul Fuégien des GAP, le groupe d'amis personnels de Salvador Allende, la garde privée du défunt président. On l'appelait le Yagan, ou le Naufragé de Kanasaka* et il faisait toujours preuve d'un extraordinaire sang-froid – aussi froid que la région dont il est originaire. Comme membre du GAP, il s'est battu au Palais de la Moneda le 11 septembre 1973. Presque tout le GAP est tombé aux côtés d'Allende, et Cano a réussi à sauver sa peau en faisant le mort. Avec deux balles dans le corps, il s'est couché au milieu de ses camarades et, en retenant sa respiration, il a vu les officiers de l'armée achever les blessés. Mais il est sorti de l'enfer et, une fois en dehors de Santiago, il a sauté du camion qui transportait les cadavres. En boitant, affaibli par le sang perdu, il s'est traîné jusqu'à la banlieue industrielle de San Joaquin, où l'on se battait encore contre la soldatesque.

Là, le médecin qui l'a examiné a hoché la tête, incrédule.

– Tu as une balle dans le ventre et une autre dans l'épaule.

– Normal. J'en ai aussi tiré quelques-unes.

Cano a réussi à gagner l'Argentine en novembre 1973, après quoi il a continué sur la voie du désenchantement

---

*Allusion au récit du romancier chilien Francisco Coloane qui met en scène le cadavre gelé d'un Indien yagan dérivant accroché à une épave.

politique en se farcissant les défaites des Montoneros en Argentine, des Forces armées révolutionnaires colombiennes, pour terminer en beauté avec la Brigade Simon Bolivar au Nicaragua. La dernière fois que je l'avais vu, c'était en 1985, à Malmö. Il était pilote sur un petit ferry qui faisait la liaison entre ce port suédois et Copenhague.

— Encore un an, et je file. J'ai économisé de quoi m'acheter un bateau. Un bateau fantastique, m'avait-il confié entre deux bières.

— Au Chili ?

— Oui, mais dans l'extrême sud. Je ne remonterai jamais plus au nord que le détroit de Magellan.

— Et les vieilles causes ?

— Qu'elles aillent se faire foutre. Mais sans moi. Moi j'ai décroché : je suis un miraculé.

Je l'avais bien encore revu cinq ans plus tard, mais c'était à la télévision allemande. Il pilotait le bateau de chercheurs de trésors allemands dans les eaux voisines de l'Antarctique.

Casque-argenté entra le premier dans la salle et me désigna du doigt. Derrière venait Cano. Il me vit et se cacha les yeux. Puis, d'un geste, il m'invita au bar.

— Non ! Je ne sais pas ce que tu viens me demander, mais la réponse est non ! dit-il.

— Prends l'air content, ou je vais être forcé de payer le déjeuner à ces trois-là.

— Et à moi, un verre. Qu'est-ce que tu fabriques ici, Belmonte ?

— Rien d'illégal. Je suis ici pour mon travail, c'est tout.

— Comment tu m'as trouvé ?

— Je n'avais pas oublié tes confidences à Malmö, plus tard je t'ai vu à la télé et, il y a une demi-heure, j'ai dit ton nom à tes amis. Enfantin.

— Et tu viens me voir pour mes beaux yeux. Crache plutôt le morceau.

— Il est long. On s'assied ?

— D'accord. Mais n'oublie pas que j'ai décroché.

Pendant que les trois joueurs de *truco* en puissance dévoraient une estouffade d'agneau, dûment payée par moi, je m'installai avec Cano à une table écartée. Là, nous fîmes ce que font tous les vétérans qui ont été complices dans des batailles perdues : ne pas en parler et s'étonner d'être toujours vivants.

Je lui expliquai les raisons qui m'amenaient sur ces rives perdues, le contrat avec Kramer, l'histoire des pièces d'or, la mort de Galo, liée à la possibilité d'un deuxième homme intéressé au butin et, enfin, je lui parlai de Veronica.

— Elle n'est pas la seule dans ce cas. Mon pauvre Belmonte. Je suis de tout cœur avec toi.

— Je te crois. J'ai besoin que tu me donnes un coup de main.

— Si je le peux, je le ferai, bien que l'Allemand me soit plutôt sympathique. Moi aussi, j'ai rêvé de retrouver Galo et de lui présenter la facture pour le coup du Nicaragua.

— Tu connais la région. Tu peux me faire gagner du temps.

— C'est à voir. La Terre de Feu est grande, Belmonte. Et ce ne sont pas les secrets qui manquent, ici. Ton histoire en est la confirmation.

— Notre ami Franz Stahl, qui doit avoir dans les soixante-dix ans, reçoit son courrier au poste numéro cinq. Ça te dit quelque chose ?

— Vaguement. C'est un point situé entre Puerto Nuevo et Tres Vistas.

— Pour moi c'est du chinois. Explique-toi.

— Puerto Nuevo est une petite anse de pêcheurs. Avant, ils étaient baleiniers, mais depuis que les cétacés ont disparu, exterminés par les Japonais, les habitants se sont rabattus sur la pêche artisanale et les coquillages : ils doivent être une vingtaine de familles. Tres Vistas se trouve à une cinquantaine de kilomètres de Puerto Nuevo. C'est une halte sur la route, tout juste deux maisons. L'une fait épicerie, l'autre auberge. Je connais le patron de l'auberge. C'est un type du nord qui s'appelle Mansur. D'après ce que tu me dis, je pense que l'Allemand doit habiter plus près de Tres Vistas que de Puerto Nuevo car, à l'anse, il y a un bureau de poste. J'ai une idée, Belmonte. Ressers-moi du vin, j'y verrai plus clair.

Nous quittâmes le Cinq Matelots et le Cercueil du Mort pour nous rendre à l'Intendance de Magellan. En chemin, Cano me parla avec orgueil de la Perle du Sud, un trois mâts acheté avec ses économies de Scandinavie. Il vivait de et sur son bateau. L'hiver, il l'amarrait dans le port de plaisance de Punta Arenas et, l'été, il organisait des croisières en longeant le Cap Horn.

— Et je cherche des trésors. J'ai ramené une bonne collection de canons espagnols et un tas de quincailleries bien payées par les musées. Un de ces quatre, je trouverai le trésor de Francis Drake.

— Tout ça, c'est très bien, mais ça sent la misogynie.

— Ne crois pas ça. L'été, je ne suis pas seul. Ma femme fait de la plongée sous-marine. Elle passe l'hiver dans le nord, à Arica, où elle apprend à plonger aux touristes dans les eaux chaudes. C'est mieux comme ça. Rien ne vaut l'hiver en compagnie d'un tonnelet de cognac et des œuvres complètes de Simenon. Tu serais venu deux jours plus tôt, tu aurais fait sa connaissance. Elle s'appelle Nilda et quitte le bout du monde avec les premières outardes. Tiens, justement, en voilà qui passent. L'hiver arrive, mon vieux.

Dans le bâtiment de l'Intendance, Cano demanda à parler à quelqu'un qui faisait apparemment partie des huiles, à voir l'obséquiosité avec laquelle nous reçut l'officier de carabiniers. Nous n'attendîmes pas cinq minutes et l'officier nous ouvrit une porte dont le capitonnage confirmait l'importance du personnage. Derrière le bureau d'acajou se tenait un homme qui, dès qu'il vit Cano, se leva pour le saluer.

– Carlitos. Quelle bonne surprise !

– Je vous présente mon ami Juan Belmonte. Belmonte, monsieur Marchenko, chargé du pétrole de Magellan.

– Juan Belmonte ! Vous savez que vous avez un nom de torero ? dit-il en me tendant la main.

– Vraiment ? C'est la première fois qu'on me dit ça.

Les présentations faites, Cano expliqua que j'étais un agent d'assurances et que je venais régler un problème d'héritage. Il ajouta que j'arrivais d'Allemagne et que je cherchais un homme du nom de Franz Stahl, dont je n'avais malheureusement que l'adresse postale. Marchenko affirma que rien n'était plus simple que de trouver le domicile de quelqu'un en Terre de Feu, surtout à partir du moment où ce quelqu'un était un propriétaire. Il nous laissa seuls quelques minutes, au bout desquelles il revint avec une carte qu'il étala sur son bureau.

– Voici la côte sud-ouest de la Terre de Feu. Franz Stahl est propriétaire d'un terrain situé à quinze kilomètres de Tres Vistas. Pour s'y rendre, il faut un véhicule tout terrain ou un cheval. Est-ce que je peux faire quelque chose de plus pour vous, monsieur Belmonte ?

– Non. Vous en avez déjà trop fait. Merci.

– Juan Belmonte ! Ça doit être réconfortant, de s'appeler comme le fameux torero. Il n'y a pas beaucoup de Belmonte au Chili, et encore moins de Marchenko, dit-il en nous raccompagnant.

– Dans le cas des Belmonte, c'est peut-être une chance pour le pays.

Nous sortîmes de l'Intendance avec les informations qui me manquaient. Cano souriait. Nous prîmes le chemin du port.

– Pas mal, ta remarque sur les Belmonte.

– J'étais sincère. C'est quel genre de bonhomme, ce Marchenko ?

— C'est pas un mauvais bougre. Un idiot cérémonieux qui m'envoie des touristes l'été.

— Parent de l'autre Marchenko ?

— Son frère. Il sait que j'étais au GAP, ici tout se sait, et comme il mange à tous les râteliers, il essaye d'être aimable avec moi. Son frère est toujours dans l'armée, il est maintenant colonel. Plusieurs victimes torturées par lui l'ont reconnu mais il fait partie des intouchables.

— C'est le prix de la démocratie. J'ai du mal à réaliser que je suis au Chili. Je n'avais jamais imaginé que j'aurais à vivre dans la hantise de serrer la main à des hommes de son acabit, qui ont toujours su ce qui se passait, qui n'ont pas bougé le petit doigt pour l'empêcher et se sont engraissés dans l'ombre de ceux qui faisaient le sale boulot. Je suppose que c'est aujourd'hui un paladin de la démocratie, qu'il fait partie des gens qui admettent qu'il y a eu des excès. Nauséabond, le prix de la démocratie.

— C'est vrai. Mais faut pas exagérer. Il ne se passe pas de mois sans qu'un officier impliqué dans des affaires de tortures ou de disparitions ne se fasse descendre en pleine rue. Il reste encore quelque chose de sain, dans le pays.

— J'en ai rien à foutre, de ce pays, Cano. Rien à foutre. Tu ne m'as pas dit où nous allons.

— Au bateau. Je vais te déposer de l'autre côté du détroit. Considère-toi comme l'hôte de la Perle du Sud.

Nous traversâmes le détroit sur une mer très calme. Le voilier de Cano glissait en ouvrant un délicat sillon d'écume du tranchant de sa quille. Outre Cano, l'équipage comptait deux matelots. De la passerelle de commandement, je les vis manœuvrer le gréement avec des gestes sûrs. C'étaient des hommes taciturnes et, tout d'un coup, j'enviai la vie de Carlos Cano. Je sentais qu'il avait confiance dans ces deux hommes et que ceux-ci avaient une confiance égale en son habileté de pilote. A eux trois, ils arrivaient toujours là où ils voulaient aller. Ils atteignaient les objectifs qu'ils s'étaient fixés, et peu nombreux sont ceux qui peuvent se payer un tel luxe.

La traversée dura environ trois heures. Quand nous accostâmes au môle de Puerto Nuevo, dans la Baie Inutile, la nuit tombait. Cano fit débarquer une moto.

— Voilà, tu es à pied d'œuvre, Belmonte. La moto a le réservoir plein. Tu sais maintenant ce que tu as à faire. Dans une heure, tu seras à Tres Vistas. Tu salueras Mansur de ma part. Il t'indiquera comment aller à la maison de l'Allemand.

— Merci, Cano. Quand j'aurai bouclé l'affaire, je reviendrai à Punta Arenas par le ferry et je te rendrai la moto. A bientôt.

— Bonne chance.

Je fis démarrer la moto, une tout terrain au rugissement puissant. Je mettais le casque quand j'entendis Cano crier du voilier.

— Belmonte ! Jette un œil dans la trousse à outils. Sous la selle.

Je relevai la selle. Parmi diverses clefs, il y avait un Browning calibre sept soixante-cinq. Je levai la main pour saluer Cano.

— C'est pas bon pour la santé de se promener tout nu dans la vie, cria-t-il encore du pont.

En quelques minutes, je laissai Puerto Nuevo derrière moi. Le chemin filait dans la pampa comme une flèche, et j'allais à la rencontre de la pointe.

Deux. *Terre de Feu :*
coucher de soleil.

Galinsky avait marché longtemps pour atteindre le sommet de la colline. A plat ventre sur l'herbe, il se reposait en observant la maison en contrebas.

Berlin-Francfort, Francfort-Santiago, Santiago-Punta Arenas et, enfin, la traversée du détroit. Maintenant il était là, à cinq cents mètres de l'objectif. Il ouvrit son sac à dos, en tira une tablette de chocolat et la mastiqua lentement. Puis il prit une bouteille d'eau minérale, but quelques gorgées et alluma une cigarette. Tout en fumant, il se dit que tout avait été plus difficile qu'il ne l'avait pensé. Les impondérables, les inévitables grains de sable avaient commencé à s'en mêler. Et comme la seule manière de les affronter est de les connaître, il décida de passer la revue de détail de la situation.

Pauvre Moreira. Sa première idée était de le recruter, de le faire agir à sa place et de rester dans l'ombre. Un Chilien avait plus de chances de passer inaperçu, mais il avait retrouvé un Moreira hystérique, ce genre d'individus auxquels il est impossible de faire confiance. Quand il lui avait logé une balle entre les yeux, il ne s'était pas caché les difficultés qui allaient lui tomber dessus en se retrouvant seul à mener l'opération, d'autant que pour découvrir la fausse identité d'Hillermann il devrait interroger une quantité de gens. Il ne savait pas qui, mais ce n'était pas non plus un mystère que la colonie allemande est nombreuse, sur la Terre de Feu, et les compatriotes s'avèrent parfois communicatifs. Cependant ses craintes s'étaient dissipées quand il avait eu le Major au téléphone, à Punta Arenas.

– Première action, O. K. Mais pas trace d'Hillermann. Personne ne reçoit de courrier sous ce nom.
– C'est logique. Notre collectionneur s'appelle Franz Stahl. Un nom pas très original. Tu es content de l'apprendre ?
– J'en suis tout ému. Merci pour le renseignement.

Le Major continuait à être un modèle d'efficacité. Couché sur l'herbe, Galinsky se dit qu'il était inutile de se demander comment il avait obtenu l'information, mais, ensuite, il se demanda comment il s'y serait pris lui-même.
– Voyons les faits : Ulrich Helm, tout infirme qu'il était, nous a roulés sur toute la ligne. On peut dire que, sans que nous nous en rendions compte, il a dirigé son propre interrogatoire. Il a su détourner les questions en évitant que nous arrivions à la plus importante : la nouvelle identité d'Hillermann, mais il a toujours su aussi que ce n'était qu'une affaire de temps. Et qu'est-ce qu'il a fait, alors ? Il nous a faussé compagnie à deux reprises. La première fois en simulant un infarctus en pleine rue, et la seconde en se taillant les veines à l'hôpital. Un homme aussi loyal n'abandonne pas un ami en danger sans le prévenir… C'est ça : il lui a écrit. Il a sûrement trouvé le moyen de faire sortir la lettre de l'hôpital. Il lui suffisait de se mettre bien avec les médecins ou les infirmières.
Galinsky se frotta les bras. Il sentait le besoin de se lever, de courir un peu, pour que son sang circule et lui donne la chaleur qui commençait à lui manquer. Il bâilla, puis se gifla la figure. Il se dit que cela n'avait peut-être pas été une bonne idée de faire le trajet de Porvenir à Tres Vistas de nuit.

A Porvenir, à l'agence où il avait loué la Land Rover, ils lui avaient dit qu'il ne rencontrerait pas de difficultés jusqu'à Tres Vistas et qu'arrivé là, on lui expliquerait comment se rendre chez son ami Franz Stahl.

— Vous en avez pour cinq ou six heures, avait indiqué l'agent. Avec un bidon d'essence en réserve, vous avez de quoi faire l'aller et retour.

Galinsky était parti peu après minuit. La pleine lune éclairait le chemin désert et rendait les phares presque inutiles. Il était tendu, mais joyeux en même temps. Il sentait que son corps était prêt à se laisser envahir par la sérénité indispensable qui préside au succès des missions.

Le chemin était difficile, semé de fondrières, et le paysage que lui montrait la clarté lunaire était, des deux côtés, aussi monotone que désolé ; une étendue de taches grises à peine interrompue par les touffes d'herbe à calfat. Mais Galinsky n'avait pas fait vingt mille kilomètres pour s'extasier devant le paysage fuégien. L'obsession bien connue de l'action imminente gagnait tous ses muscles et, soudain, il s'était tâté la braguette pour s'assurer de la réalité de l'érection qui le tourmentait. Il se souvenait d'avoir lu quelque chose à propos des érections et même des éjaculations involontaires qui surprennent les chasseurs à l'instant le plus intense de leur traque, quand toute leur attention est concentrée sur leur proie et que leur rythme respiratoire se modifie au gré de l'éloignement ou de la proximité de celle-ci. « Il n'y pas que les chasseurs, avait-il murmuré. Les soldats aussi. Alexandre le Grand recommandait à ses officiers de surveiller le bas-ventre de leurs soldats avant le combat. »

La Land Rover progressait lentement, en évitant les ornières trop grandes ou les trous d'une profondeur suspecte. Les première lueurs de l'aube l'avaient surpris ainsi. La lune continuait à briller, comme si elle doutait de la ponctualité du soleil qui commençait à émerger des eaux de l'Atlantique. Il avait éteint les phares. Concentré comme il l'était, il ne voyait pas les regards de haine que lui lançaient les *teru-terus* somnolents du haut des poteaux télégraphiques, ni les formations nombreuses de grues qui s'étaient mises à sillonner le ciel en direction du sud-ouest dès que le soleil s'était imposé dans toute sa splendeur. Ces oiseaux venaient de loin, d'aussi loin ou de plus loin que Galinsky, des Malouines ou de la Géorgie du Sud, pour chercher refuge dans les fjords du nord de la péninsule de Brunswick.

Peu après six heures du matin, il avait stoppé le véhicule. Il était arrivé à Tres Vistas. Le lieu était bien tel qu'on le lui avait décrit à l'agence : deux maisons construites face à face, séparées par le chemin, et s'efforçant de créer l'illusion d'une rue.

Il avait d'abord frappé à la porte de l'auberge sans obtenir de réponse. Il avait fait de même à l'épicerie, où il avait trouvé un vieillard qui l'avait dévisagé, mi-amical, mi-méfiant.

– Je ne peux vous servir que du maté et des biscuits.

– Je n'ai pas faim. Je cherche un ami qui vit près d'ici.

– C'est que tout le monde est parti. Je sais pas où. Ils me l'ont peut-être dit, mais j'ai oublié. J'oublie tout. Aguirre dit que c'est l'âge. Vous voulez que je tue une poule ?

– Mon ami s'appelle Franz Stahl. Vous comprenez ce que je vous dis ? C'est un Allemand.

– Peut-être que je le connais. Je sais pas. Je me souviens plus. Si la poule vous tente pas, on peut tuer un mouton, mais faudra m'aider. J'ai plus beaucoup de forces.

– Je peux parler à quelqu'un d'autre ?

– Non. Je vous ai dit que tout le monde est parti.

– Qui ça, tout le monde ?

– Mon gendre Mansur, ma fille la muette, le docteur Aguirre et le châtreur.

– Et ils sont partis où ?

– Qui ça ?

– Mansur, le châtreur, votre fille.

– Je ne sais plus. Il sont partis et ils m'ont dit :

« on s'en va, ne fais pas de bêtises. » Je savais où ils allaient, mais j'ai oublié. Alors, on le tue, ce mouton ?

Galinsky avait tendu un bras et saisi le vieux par le col. Il l'avait secoué violemment jusqu'à ce que ses gémissements se confondent avec les craquements pitoyables de ses os. Il avait vu la panique dans ses yeux.

– Écoute, vieux chnoque : Franz Stahl, l'Allemand. Comment je fais pour aller chez lui ? Franz Stahl. Répète avec moi : Franz Stahl.

– Franz… lâchez-moi, espèce de cinglé ! Ah oui, je me souviens.

– Parle. Comment je fais pour aller chez Franz Stahl ?

– Vous avez un cheval ? Il faut un cheval.

– J'en ai un. Comment je fais pour aller chez Franz Stahl ?

– Vous suivez le chemin jusqu'à la cabane du poste. Là, vous prenez par la pampa jusqu'au vallon. Au bout, on voit la maison. Où il est, votre cheval ?

– Écoute-moi, imbécile : pour aller chez l'Allemand, je suis le chemin jusqu'au poste, j'entre dans la pampa jusqu'au vallon, c'est ça ?

– Si vous le savez, pourquoi vous me le demandez ? Et qu'est-ce qu'on fait avec le mouton ?

Galinsky avait lâché le vieux. Il l'avait laissé en train de maugréer des malédictions parce qu'il ne voulait pas l'aider à tuer le mouton. Il était retourné à la Land Rover, avait sorti une carte et l'avait étalée sur le siège. Le vieux l'avait peut-être bien renseigné. Il avait repéré le point qui signalait le poste sur le chemin. Au sud, il y avait un bref morceau de pampa et après, la mer. Au nord était indiqué un accident de terrain qui pouvait être un ruisseau ou un vallon. Beaucoup plus haut serpentait la China Creek, une rivière qui prenaient sa source sur les pentes du Boquerón. Il y avait également plusieurs carrés qui représentaient des *estancias* disséminées le long de la rivière. Un rond minuscule au bout du vallon devait être la maison qu'il cherchait. Le vieux lui avait touché le bras.

— Maintenant, je me souviens.

— De comment on fait pour aller chez l'Allemand ?

— Ils sont partis à la veillée. Ils sont tous partis veiller le mort.

— Quel mort ?

— Votre ami l'Allemand. Toutes mes condoléances.

Le vieux était resté la main tendue au milieu du chemin, toussant et plissant les yeux pour suivre le véhicule qui s'éloignait dans un nuage de poussière.

Sur la colline, Galinsky entreprit des exercices de relaxation. Il serra d'abord les doigts de pied, se remplit les poumons puis expira lentement en même temps qu'il détendait les doigts. Après quoi il répéta cet exercice en tendant les muscles des mollets, des cuisses, du cul, de l'abdomen, et ainsi de suite jusqu'aux paupières. En terminant, il se sentit parcouru par une onde de bien-être qui lui permit d'oublier temporairement ses sept heures de station couchée dans l'herbe.

Il avait quitté Tres Vistas à six heures trente du matin. A huit heures précises, il avait aperçu la construction sur pilotis du poste et était entré dans la pampa. La traversée jusqu'au vallon était pénible. Les roues patinaient dans l'herbe grasse et il avait failli plusieurs fois perdre le contrôle. Il avait laissé la Land Rover à l'entrée du vallon : impossible de poursuivre avec, sur cette terre couverte d'herbe glissante, aussi avait-il pris son sac à dos et marché d'un pas agile jusqu'à neuf heures et demie. L'extrémité du vallon était fermée par la colline d'où il surveillait la maison en contrebas.

Apparemment, le vieux de Tres Vistas avait retrouvé la raison au bon moment. De la colline, Galinsky observa la maison avec des jumelles. Il compta neuf chevaux autour. Deux tranchaient sur les autres par leur taille et leur aspect bien nourri. C'étaient des chevaux élancés, tandis que les sept autres étaient plus râblés et poilus. En examinant les selles alignées sur le seuil de la maison, il repéra que deux d'entre elles portaient l'emblème aux carabines croisées de la police chilienne. Plus tard, il vit les carabiniers sortir pour faire une brève promenade en compagnie d'un personnage aux cheveux gris. En tout, il compta huit personnes qui sortaient et rentraient après avoir rendu visite à une petite construction séparée de la maison, à laquelle on accédait par un sentier de planches bordé de pommiers. Parmi elles, deux femmes. Galinsky disposa huit allumettes sur l'herbe et attribua à chacune les caractéristiques qu'il observait chez les habitants, au rythme de leurs apparitions et de leurs disparitions sous le toit de tôle.

Le soleil commençait sa descente sur le Pacifique. Galinsky recourut encore une fois à la tablette de chocolat.

– La vie est étrange : je suis venu pour éliminer un homme et, quand j'arrive, je le trouve mort. Qu'est-ce qui a bien pu lui arriver ? Une maladie due à l'âge ? Un accident ? Il a reçu la lettre de son fidèle ami Ulrich Helm et il a eu une attaque ?

Dès qu'il avait vu la maison, Franz Galinsky n'avait pas eu de doutes sur l'identité de son propriétaire. Il avait parcouru avec ses jumelles la construction en bois, en s'attardant aux volets. Tous portaient gravée la poterne aux trois tours couronnées par deux étoiles de David et une croix chrétienne. Le poids de la nostalgie ou la force de la coutume dénonçaient Hans Hillermann ; cette maison aurait pu se trouver à Bergedorf, Curslack ou dans n'importe quel village des bords de l'Elbe. Seule l'éclatante toiture en zinc constituait une entorse à la fidélité architecturale.

Frank Galinsky regarda le soleil qui brillait comme une gigantesque boule de feu à l'ouest. Il calcula qu'il lui restait deux heures de lumière du jour, et tout en continuant à s'interroger sur ce qu'ils pouvaient bien faire avec le mort, il tira de sa sacoche un mince sac de couchage. Il s'y glissa et s'en recouvrit la tête, puis regarda de nouveau avec les jumelles. Il ressemblait à un gros insecte en train d'admirer le coucher du soleil, mais Galinsky ne quittait pas des yeux les deux hommes qui venaient de sortir de la maison pour faire cent mètres et creuser un trou rectangulaire.

Trois. Terre de Feu : longue nuit australe.

Les deux constructions qui formaient Tres Vistas ressemblaient au chas d'une aiguille au beau milieu du chemin. J'y arrivai au moment où l'ombre engloutissait le paysage. Les deux maisons étaient en bois, et les toits de chaume leur donnaient l'aspect d'animaux au repos. L'une était agrémentée d'une extravagante publicité pour l'Anisette du Singe et, juste au-dessous du jumeau simien de Charles Darwin, on pouvait lire sur un panneau, écrit à la peinture noire : « Épicerie Ici on trouve tout ». Sur l'autre maison, une plaque discrète annonçait : « Pension Mansur ». On ne voyait aucune lumière. Avant d'arrêter le moteur, je donnai un coup d'avertisseur. Un petit vieux sortit de l'épicerie, une lampe à carbure à la main, pour me scruter.

— Ils sont pas là. Y'a personne.
— Mais il y a vous, grand-père.
— Entrez. Si vous voulez quelque chose, prenez et inscrivez le prix. Ils m'ont dit de pas faire de bêtises et de pas me mêler du commerce.

Je le suivis, dubitatif. Ça n'allait pas être commode, de parler avec ce vieux. Il ouvrit la porte de l'épicerie et me montra une chaise. Ça sentait les épices, le café, l'herbe à maté, le tabac, les mille articles rangés sur des rayons et des caisses, avec des instruments agricoles, des marmites, des cuves et des harnais de chevaux. Il me tendit une grande calebasse de maté.

— Vous avez faim ? Si vous voulez, je peux tuer une

poule, une des miennes. Ou bien vous préférez un morceau d'agneau ?

— Non merci, le maté suffit. Dites-donc, grand-père,
je cherche un Allemand…

— On cherche tous quelque chose, dans la vie. Moi
aussi, j'ai cherché, mais je sais plus quoi. J'ai oublié. J'oublie tout. Aguirre dit que je ne dois pas manger de viande.

— Qui est Aguirre ?

— Aguirre ? Le docteur. Il soigne le charbon des moutons et la fièvre aphteuse des vaches. Quelquefois il
soigne aussi les gens. Pourquoi vous le cherchez, l'Allemand ?

— Vous le connaissez ? J'ai quelque chose à lui
remettre. C'est très urgent.

— Je sais pas. Peut-être que je le connais. Pour l'instant
je me souviens pas. Attendez mon gendre. Il connaît tout
le monde.

— Où est-il, votre gendre ? Vous pouvez l'appeler ?

— Il est parti. Ils sont tous partis. Mais ils vont revenir.
Un peu de patience.

— Vous savez où ils sont allés ?

— Ils me l'ont dit, mais j'ai oublié. C'est vrai, j'oublie
tout. Il y a des œufs durs. Je vous en donne ?

Je regardai le vieux clopiner jusqu'à l'arrière-boutique.
Il revint avec un plateau sur lequel il avait mis des œufs
durs et un pain qui ressemblait à du marbre : le dur biscuit
des gauchos. Il me désigna une table. Sur le comptoir
s'alignaient des bouteilles de vin argentin. J'en pris une et
revins vers le vieux.

— Mangez. J'ai pas vu votre cheval. Où vous l'avez
laissé ?

— Je suis venu en moto. Vous savez ce que c'est, une
moto ?

— Foutaise. Un truc de pédé. Les hommes vont à cheval.

— Grand-père ! Aidez-moi. L'Allemand que je cherche
s'appelle Franz Stahl, et il habite près d'ici. Vous le
connaissez ?

– Je me souviens pas. J'ai connu beaucoup d'Allemands, des bons et des mauvais. C'est la vie. Si tout le
monde était bon, elle serait salement ennuyeuse. J'ai
aussi connu des *gringos* et des Croates. Au nord du
détroit, c'est plein de Croates. Je les aime pas.

– Prenez un verre, grand-père. Franz Stahl : Franz, on
dit peut-être Francisco.

– Francisco, c'était un cacique. Francisco Calfucurá.
Ça, je m'en souviens. C'était quand on voyait encore
des Indiens dans le secteur. Les *gringos* les ont tués.
Les salopards. Les Croates aussi ont tué des Indiens.
Puisque je vous dis que je les aime pas. Ils mangent du
lapin. Les imbéciles. Avec tous les moutons qu'on a,
faut encore qu'ils s'en prennent à ces pauvres bestioles.
Vous jouez au *truco*? Quand mon gendre et le docteur
seront de retour, on pourrait faire quelques parties.

Ce vieux avait la mémoire en miettes comme les morceaux d'un kaléidoscope, et y mettre de l'ordre représentait un travail de longue haleine. En l'écoutant proférer
des phrases qui, pour lui, étaient pleines de sens, je pen-
sais à Veronica, à toi, Veronica mon amour. Est-ce que
tu étais comme ça? Ton absence silencieuse était-elle un
monde de minuscules éclats de verre que personne, pas
même toi, ne pouvait rétablir dans leur exacte géomé-
trie? Mais au moins ce vieux parlait, alors que toi, mon
amour, tu avais perdu jusqu'à l'architecture des phrases.

Je buvais le vin âpre et fort quand j'entendis des
aboiements et un piétinement de sabots qui s'appro-
chaient. Le vieux alluma des lampes.

Un homme trapu entra le premier, suivi d'une petite
femme aux yeux brillants, puis d'un autre personnage
aux cheveux gris avec des lunettes d'écaille aux verres
épais. Ils me regardèrent, surpris.

– Il doit des œufs et deux bouteilles, dit le vieux.

– Très bien, beau-père. Allez vous coucher, répondit
l'homme trapu.

– Vous êtes Mansur, le patron de l'auberge?

– Oui, l'auberge et l'épicerie m'appartiennent. Vous me cherchiez ?

– Je viens de la part de Carlos Cano. Il m'a dit que vous pourriez m'aider.

– Et vous, vous avez bien un nom ?

– Belmonte. Juan Belmonte.

– Comme le torero ? Je suis Romualdo Aguirre, fit l'homme aux lunettes d'écaille.

– Ana, ma femme, dit Mansur en me serrant la main. Elle est muette mais elle entend bien. Suffit de hausser un peu la voix.

– Je cherche un Allemand. Il s'appelle Franz Stahl. Vous le connaissez ?

Les nouveaux venus se regardèrent. Mansur toucha le bras de sa femme et celle-ci s'en alla dans la pièce voisine.

– Vous arrivez tard, mon vieux. Docteur, expliquez donc à notre ami. Moi, je vais desseller les chevaux.

Romualdo Aguirre prit trois verres et s'assit à la table. Il m'offrit une cigarette. Il versa le vin et hocha la tête

– Je suppose que vous venez d'Allemagne.

– Parlons clair, docteur. Comment le savez-vous ?

– Je ne le sais pas. Je le suppose. L'homme que vous cherchez, Franz Stahl, est mort. Nous venons tout juste de l'enterrer. Il s'est fait sauter la cervelle avec un fusil.

J'eus tout de suite le nom de Galinsky sur le bout de la langue. J'arrivais trop tard. C'est si simple de simuler un suicide avec un fusil.

– C'est arrivé quand ?

– Cette nuit. Il avait eu un comportement bizarre, ces derniers jours. Est-ce que c'est vous qui avez demandé des renseignements sur un dénommé Hallmann ou Hillman au bureau de poste de Punta Arenas ?

– Non. Mais je crois savoir de qui vous parlez. Donc il avait l'air bizarre. Et quoi d'autre ?

– Pas comme ça ! C'est de vous, d'abord, qu'on va parler, lança Mansur du seuil.

Ana rejoignit le groupe. Elle tailla énergiquement des morceaux de fromage de brebis, du pain, des tranches de *charqui*, cette viande sèche de cheval, très forte, que mon palais avait oubliée. Mansur déboucha une autre bouteille de vin. J'avais l'impression de comparaître devant un jury et, tout en cherchant les mots précis pour parler de l'homme qu'ils venaient de mettre en terre, quelque chose, cette chose inexplicable qui entoure la mort de ceux qui ont vécu intensément, me suggéra que celle de l'Allemand ressemblait beaucoup à une carte bien jouée, un atout victorieux, une grimace sarcastique en direction de Kramer, du Major, de Galinsky, de Galo et de tous les salauds qui s'étaient lancés à sa recherche. Et c'est ce même quelque chose d'insaisissable qui me fit voir un clin d'œil d'ami, de camarade, adressé à Ulrich Helm, l'autre protagoniste de l'histoire, celui qui en avait tant bavé. Je commençai donc par leur révéler la véritable identité de Franz Stahl, puis, en pensant aux épreuves que j'avais moi-même traversées et auxquelles je dois cette amertume que je camoufle en dureté, je leur racontai l'histoire des ces deux antifascistes qui avaient rêvé de vivre l'utopie de la liberté sur la Terre de Feu et qui, pour y parvenir, n'avaient pas hésité à voler les œufs de l'aigle dans son nid.

Dans un silence à peine troublé par les ronflements du grand-père qui avait refusé de quitter la table, il écoutèrent le récit de cette amitié, de cette fidélité qui avait survécu à toutes les épreuves pour sortir indemne de la plus terrible : celle du passage des ans.

— Nous ne lui avons jamais vu un gramme d'or. Tout ce qu'il possédait venait de ses mains, de son travail, soupira Aguirre.

— Soixante-trois pièces d'or ? demanda Mansur, incrédule.

— De dix onces chacune, précisai-je. Leur valeur est incalculable. Elles sont certainement quelque part.

– Elles ne m'intéressent pas, dit Mansur. Ici, nous vivons tranquilles avec ce que nous avons. Qu'est-ce que vous en dites, docteur ?

– J'aime les légendes. Ces pièces d'or ne sont probablement qu'une légende de plus. La Terre de Feu est pleine de trésors cachés. Un trésor supplémentaire ne la fera pas couler.

Ana frappa sur la table et, les yeux fixés sur ceux de Mansur, se mit à gesticuler avec les mains. Son regard brillait, ses mouvements étaient éloquents, sûrs, péremptoires. Mansur hocha affirmativement la tête.

– Je crois que la muette a raison. Cet or va nous porter malheur. Il y a déjà eu la mort de Franz. Il faut le dénicher avant que ça devienne une épidémie. Elle veut savoir qui est l'homme qui a posé des questions à Punta Arenas.

Je leur dis ce que je savais de Galinsky, des traces qu'il avait laissées de son passage à Santiago.

– Deux morts, souligna Aguirre.

– Trois. N'oubliez pas Ulrich Helm. Je pense comme elle. Ces pièces d'or n'apporteront que des ennuis. Et maintenant que je vous ai dit tout ce que je sais, je veux connaître les détails de la mort d'Hillermann, ou de Franz, comme vous voudrez.

– Dès qu'il a su que quelqu'un le cherchait – bien sûr nous venons seulement de comprendre que c'était ça –, commença Aguirre, il est devenu bizarre. Nous étions amis, tout le monde l'appréciait, dans le coin. Il y a quatre jours, il m'a surpris en me demandant de l'aider à rédiger un testament, par lequel il laissait tous ses biens à Griselda, une veuve qui a été sa compagne pendant une vingtaine d'années. J'ai écrit ce qu'il a dicté, j'ai signé comme témoin et remis le tout au notaire de Porvenir. C'est la dernière fois que je l'ai vu. Griselda en sait davantage, elle a passé la soirée d'hier avec lui. Elle lui a préparé son souper comme d'habitude et l'a quitté vers dix heures. D'après elle, il allait bien, peut-être un peu gai, parce qu'il avait bu quelques verres en mangeant. Elle l'a laissé, a fait un kilomètre et, tout d'un coup, par une de ces intuitions qu'ont les femmes, elle est revenue sur ses pas. Elle était tout près de la maison quand elle a entendu les détonations. Elle l'a trouvé mort, le fusil toujours entre les jambes. J'ai examiné le cadavre et je peux certifier qu'il s'est suicidé. Griselda est repartie sur sa monture et elle est venue droit ici pour nous annoncer le malheur. Quoi d'autre encore ? Nous sommes partis presque tout de suite, le jour n'était pas encore levé quand nous sommes arrivés chez Franz. Cette nuit-là, Ledesma, un châtreur de moutons qui fait toutes les *estancias*, était avec nous. On l'a envoyé à Puerto Nuevo prévenir la police. Deux carabiniers nous ont rejoints plus tard.

— Il faut que j'aille à la maison du défunt. Vous pouvez m'aider ?

— Bien sûr. Attendez demain matin et nous irons ensemble. Les chevaux ont besoin de se reposer un peu, expliqua Mansur, mais il ne put poursuivre car, à cet instant précis, nous entendîmes le galop d'un cheval.

Mansur sortit.

— Docteur ! C'est l'animal de Griselda, cria-t-il.

Ana porta ses mains à sa bouche.

— Nom de Dieu ! Griselda est restée seule là-bas, balbutia Aguirre.

Nous nous levâmes et le bruit de nos chaises réveilla le grand-père.

— Le vieux Franz ! Vous aussi, vous voulez aller chez le vieux Franz. Ne me frappez pas ! Je vais vous dire comment on fait, gémit-il en cherchant la protection d'Ana.

— Calme-toi, grand-père. C'est un rêve, dit Aguirre.

— Non. L'autre homme qui cherchait le vieux Franz m'a frappé. Maintenant je me souviens. Empêchez-le de me frapper.

— Quand est-ce qu'il vous a frappé, l'autre homme, grand-père ? Souvenez-vous. Quand ?

– Je sais pas. Il est venu dans une voiture verte. Il avait pas de cheval.

Nous sortîmes. Mansur maudissait la fatigue de ses chevaux. Aguirre prit une lampe et nous allâmes examiner le chemin. Nous n'eûmes pas de mal à trouver les empreintes des pneus et à repérer l'énorme indice laissé par Galinsky : sur le bord du chemin brillait un paquet vide de cigarettes Revals, marque germanique s'il en est.

– Quelle direction ? demandai-je, déjà juché sur la moto.

– Tout droit jusqu'au poste. Ensuite, continuez vers le vallon. Nous vous suivrons dans une heure, répondit Aguirre.

Le jour se levait quand j'arrivai devant la construction sur pilotis. Avant de quitter le chemin, j'arrêtais ma moto, je soulevai la selle et pris le Browning. Le son de la balle entrant dans le canon fut le premier signe de vie qu'entendit la pampa.

Quatre. Terre de Feu :
une rencontre fraternelle.

La Land Rover avait laissé des traces plus que visibles dans les herbes de la pampa. Je les suivis à pleins gaz jusqu'à l'entrée du vallon qui montait. Galinsky n'avait pas pris la peine de cacher son véhicule, il agissait en toute confiance, il avait même poussé la négligence jusqu'à laisser les papiers de l'agence dans la boîte à gants. Son nom y figurait en toutes lettres. J'ouvris le capot, arrachai tous les fils du démarreur et entrepris de gravir un des versants du vallon.

La moto dérapait sur l'herbe grasse, mais le moteur puissant l'obligeait à bondir en avant. J'avais l'impression d'être un soldat du Septième de cavalerie, une sorte de vengeur se précipitant pour arriver au moment crucial sur les lieux de la tragédie afin d'empêcher celle-ci – une gaffe magistrale dont je me rendis compte au moment où il ne me restait plus que cinquante mètres pour atteindre le haut de la colline : si je continuais de la sorte, le bruit du moteur allait alerter Galinsky.

Je poursuivis la montée à pied. Dans le ciel sans nuages, des oiseaux noirs planaient en décrivant des cercles. A quelques mètres de la crête, je me couchai dans l'herbe et terminai l'ascension sur les coudes et les genoux. En dessous, il y avait une maison. La lumière naissante du jour faisait luire le toit de zinc. Je décidai de descendre en faisant une boucle, de façon à garder toujours le soleil dans le dos.

En arrivant à la croix de bois plantée sur un monti-cule, je m'aperçus que je laissais une traînée de plumes blanches. L'anorak de Pedro de Valdivia n'avait pas résisté à la descente sur les coudes. Cela me faisait une dette de plus envers le petit râblé. Sur la croix, je lus deux mots : Franz Stahl, et quelques mètres plus loin, je découvris un spectacle qui me fit tirer le Browning de ma poche : deux chiens morts, éliminés par un bon tireur car ils avaient l'un et l'autre la tête fracassée.

– Allons, Belmonte, l'heure est venue de montrer que tu es encore bon à quelque chose. Je courus en zigzaguant vers la porte située derrière la maison. J'entrai au milieu du nuage de poussière et d'éclats de bois qui jaillirent en même temps que les gonds sautaient. Je me jetai à terre en cherchant une tête dans laquelle loger quelques pro-jectiles calibre sept soixante-cinq, mais je ne vis que le désordre provoqué par le passage d'un cyclone ou d'un chercheur de trésor particulièrement pressé.

Je me mis lentement sur mes jambes. J'examinai les traces du passage de Galinsky, en allant de droite à gauche et en gardant l'index sur la détente. C'est alors que je vis la femme.

J'ai vu beaucoup de morts et je leur ai tous trouvé quelque chose de grotesque, comme si l'instant où la vie les avait quittés était survenu de façon si soudaine qu'ils n'avaient pas eu le temps de disposer leur corps d'une façon digne et harmonieuse. La femme avait les bras atta-chés par les poignets au rebord de la hotte d'une haute cheminée. Ses jambes maigres étaient repliées, ce qui fai-sait apparaître démesurément longs ses bras qui suppor-taient tout le poids du corps. Elle était nue jusqu'à la ceinture, et son visage et son torse étaient couverts de brûlures.

Je posai mon pistolet sur le rebord de la cheminée pour couper les cordes d'une main en soutenant le corps de l'autre. Je l'allongeai par terre. Une expression d'horreur indiquait qu'elle était morte sous la torture. Tout en la couvrant avec un drap, je me dis que si elle avait partagé

le secret d'Hillermann, elle l'avait certainement livré.
Galinsky était un bourreau efficace : les brûlures restaient
toujours au niveau de la peau, sans jamais aller jusqu'à
carboniser les chairs, pour éviter que la victime ne s'éva-
nouisse. Il devait déjà être loin. Je me reprochai amère-
ment de n'avoir pas mis également la moto hors d'usage en
l'abandonnant à mi-côte. Au moment de me relever, je sentis la pression d'un objet froid contre mon oreille droite.

— Pas de gestes brusques. Fais très attention, dit le
propriétaire du canon.
Je me laissai pousser vers une chaise.
— Assis. Et mains sur la nuque.
J'obéis. Il éloigna le canon de mon oreille et, sans ces-
ser de me viser, s'assit sur le bord de la table.
— Qui es-tu ?
— Ça n'a pas d'importance, Frank Galinsky.
L'homme qui braquait sur moi un Colt neuf milli-
mètres mesurait un bon mètre quatre-vingt-dix. Il avait
les cheveux blonds, bien coupés, et ses yeux bleus ne
purent dissimuler une expression de surprise.
— Comment connais-tu mon nom ?
— Tu as laissé beaucoup de traces. Trop. Le Major ne
te fera plus confiance.
— Je vois que tu sais beaucoup de choses. Qui es-tu ?
— Je m'appelle Juan Belmonte. Jusqu'à aujourd'hui,
on ne s'est jamais rencontrés.
— Comme le célèbre torero. Parle-moi de mes erreurs.
— *Primo* : tu aurais dû nettoyer l'appartement de
Moreira après l'avoir tué. J'y suis allé et j'ai trouvé la clef
de la boîte postale. *Secundo* : tu lui as écrit en utilisant les
initiales de ton nom de service : « *Decknahme :* Werner
Schroeders. » Il figure dans ton dossier à la police alle-
mande. *Tertio* : tu as laissé le vieux de l'épicerie vivant.
Ça fait beaucoup de fautes, pour un ex-officier des services spéciaux. Trop, pour un homme de Cottbus.
— On se fait vieux. Mais je te garantis qu'avec toi, je
n'en ferai pas. Je suppose que tu sais ce que je cherche.

– Évidemment. Il était inutile de tuer la femme. Je viens aussi d'Allemagne pour chercher la collection du Croissant de Lune Errant. Mais il y a entre nous une grande différence : moi, je sais où sont les pièces.

– Formidable. Comme ça, on va pouvoir négocier. Tu me fais l'effet d'un type qui tient à sa peau. Ce que j'ai fait à la femme n'est qu'un jeu d'enfant à côté de ce que je te ferai.

– Je te crois. Quelqu'un qui n'a été toute sa vie qu'un répugnant fasciste rouge n'a pas de scrupules. Mais tu auras du mal. Elle aussi, elle connaissait la cachette des pièces. Tu te rends compte, *Genosse ?* Tu n'es qu'un étron, incapable d'agir sans ceux qui te dirigent. Un étron, rien de plus. Voilà ce que tu es. Un *Ossi*.

Je le vis serrer la crosse de son Colt. L'éclat de ses yeux dénonçait l'envie de me tirer dessus qui lui démangeait les mains. Il voulait me tuer, mais pas avant de savoir si je disais vrai. Je devais gagner du temps. Mansur, Aguirre et Ana étaient certainement en route.

– Je vais compter jusqu'à trois. Où sont les pièces ? Un.

– Tu me prends pour un idiot ? Tu es plein de doutes. Tu ne m'abattras pas avant de m'avoir fait parler. Vous étiez tous aussi débiles, à Cottbus ? Ou bien c'est un problème d'alimentation ?

– … deux…

– D'accord. Si tu dois m'éliminer, il est bon que tu saches que tu m'as rendu service. J'ai toujours voulu flinguer Moreira. Nous étions de vieilles connaissances. Il a dû te raconter ce qu'il a fait au Nicaragua. J'y étais. Tu as un guérillero devant toi, Galinsky. Et qui a eu l'occasion de faire ses preuves. Toi, à part de serrer les fesses dans les défilés, est-ce que tu t'es battu, une fois dans ta vie ?

– … trois…

La balle m'entra dans le pied droit. Je sentis d'abord le coup qui m'écrasa le pied contre le sol, puis la brûlure, et enfin la douleur qui monta dans la jambe.

– J'ai vécu en Angola et au Mozambique, dit-il. Les

hommes de Samora Machel m'ont beaucoup appris, dans ce genre de jeux. Si tu as été guérillero comme tu le dis, tu dois connaître. On commence par un pied, on continue avec l'autre, et ainsi de suite. Bon. Je passe à la deuxième tournée. Un…

La douleur me taraudait la jambe. Des filets de sang commençaient à filtrer de la chaussure. Je me rappelai les deux chiens morts. Un Colt comme celui de Galinsky a neuf balles dans son chargeur. Il en restait six.

— Où as-tu appris l'espagnol ? Tu le parles avec l'accent d'Amérique centrale. Tu connais l'expression *te jodiste cabrón* : tu l'as dans le cul ? Ça décrit exactement ta situation. Tu l'as dans le cul. Hillermann a caché les pièces très loin d'ici. Tu n'en as pas fini avec moi. Oui, connard, tu l'as dans le cul.

— .. deux…

— La langue espagnole dispose d'une longue liste d'insultes, et chacune te va comme un vrai bijou : *cabrón, pendejo, huevón, mal parido, capullo, gilipollas, saco de huevas* *, mais celle qui te va le mieux vient de ta propre langue : *Ossi*.

— Tu n'as pas compris la règle du jeu. Pourquoi des insultes ? Après tout, on est des camarades. Tu t'es battu pour construire le socialisme, moi je le défendais. Trois…

Il leva le pistolet et je me laissai tomber de la chaise à l'instant même où la détonation du double coup de fusil ébranlait l'*estancia*. Galinsky fit un bond sous le choc et retomba à mes pieds, sa poitrine laissant échapper un flot de viscères et de sang.

Carlos Cano. Il restait immobile sur le seuil.

— Tu en as mis un temps, pour tirer, ai-je gémi, toujours au sol.

— J'ai beaucoup aimé la liste des insultes. Bon Dieu : il t'a fait un trou dans le pied.

---

* Traduction approximative : salaud, trou du cul, bâtard, gland, enculé, couille molle.

Aguirre, Mansur et la muette entrèrent derrière Carlos. Affolés par la boucherie, ils ne savaient que faire. Ana se serra contre Mansur en contenant ses nausées.

— Aidez-moi, je vais lui enlever son soulier, dit Aguirre.

— Je le tiens ferme : ce mec a la peau dure, précisa Cano.

La balle était entrée et ressortie proprement. Aguirre fut d'avis que les os n'avaient pas été atteints. Il désinfecta la blessure et, après l'avoir pansée, il s'occupa des corps de Griselda et de Galinsky.

— Cano ! Comment tu es arrivé ici ?

— Je ne sais pas. Je suppose que l'histoire du trésor m'intriguait. Hier, en te voyant t'éloigner, je me suis dit que je pouvais peut-être te donner un coup de main et je suis rentré à Puerto Nuevo. Je suis arrivé ce matin à Tres Vistas juste au moment où les amis se mettaient en route. Nous avons vu les chiens morts, j'ai demandé son fusil à Mansur, et tu sais la suite.

— Pas mal, pour quelqu'un qui a décroché.

— Et les pièces d'or ? C'est vrai que tu sais où elles sont ?

— Tu es vraiment le plus grand fils de pute que je connaisse ! Alors comme ça, tu étais là depuis le début ?

Cano haussa les épaules. Il alluma deux cigarettes, m'en mit une dans la bouche et nous éclatâmes de rire. Aguirre attendit patiemment que nous nous calmions. Puis il dit, en nous faisant signe de le suivre :

— Moi je sais où elles sont. Vous allez emporter cette saloperie.

Dehors, des charognards noirs décrivaient des cercles au-dessus de nos têtes.

Cinq. Santiago :
dernier café.

Jambes tremblantes, je poussai la porte du petit bar. Je m'assis sur le tabouret le plus proche de la sortie afin de pouvoir observer la rue et la maison d'en face. Je demandai un café, et le garçon me répondit par de longues excuses qui se terminèrent par un éloge du Nescafé. Je lui dis que ça n'avait pas d'importance et, en attendant qu'il me l'apporte, je découvris que, malgré la chaleur, le soleil matinal, le feuillage des arbres, Santiago semblait plongé dans une atmosphère opaque, d'une tristesse définitive. *La ville est triste.* C'est le titre qu'a donné Díaz Esterovic au seul roman noir qui parle de Santiago et que j'ai lu jadis à Hambourg. La ville est triste. Bon Dieu, Belmonte, il faut que tu rassembles tes forces pour l'action, la plus importante de toutes. Que tu rassembles tes forces pour sortir d'ici et traverser la rue.

Traverser la rue. C'est tout, Veronica mon amour. Traverser la rue, appuyer sur le noir téton de bakélite de la sonnette, et je serai près de toi, pour affronter, enfin, la réalité de ton absence et de ton silence. J'ai peur. Laisse-moi finir le dernier café de toutes ces années de séparation.

Assis au bar, je regardai longuement la maison de la señora Ana. La blessure au pied me faisait toujours mal, mais ça n'avait pas d'importance. En remuant ma cuillère, je revis encore une fois la fin de mes aventures dans la lointaine Terre de Feu.

Cela faisait à peine trois jours qu'Aguirre était monté sur le toit de zinc luisant de la maison de Hillermann. Cano l'avait suivi. Ils avaient fait sauter à coups de marteau les clous qui fixaient les tôles, et, des jointures, ils avaient extrait les maudites pièces d'or. Il était malin, l'Allemand. Il s'était même donné le mal de les barbouiller de goudron pour en masquer l'éclat.

L'une après l'autre, elles étaient tombées à mes pieds. J'avais gratté la couche de goudron avec un couteau, et les soixante trois pièces d'or avaient retrouvé leur éclat, tel que l'ambition et les siècles l'avaient conservé, froid, aussi froid que le croissant de lune qui les ornait.

— Emportez cette saloperie, a dit Aguirre.

Et toute cette richesse est restée répandue sur l'herbe, au milieu du crottin des chevaux énervés, pendant qu'il allait s'occuper respectueusement des morts avec Cano, Mansur et la muette.

— Je suppose qu'il va falloir rendre compte de tout ça à la police, ai-je dit, en ramassant les pièces.

— Allons donc, a rétorqué Mansur. Si on met les carabiniers au courant, les gens imagineront qu'il reste encore de l'or et on sera envahi par un tas d'indésirables. Partez, et faites en sorte que cette saloperie quitte la Terre de Feu. Nous nous chargeons des morts.

— Ils ont raison. Les trésors, ça n'a de valeur que quand il s'agit de meubler les longues soirées d'hiver, a ajouté Cano.

De l'aéroport de Punta Arenas, j'ai appelé Kramer.

— J'ai votre merde. Au complet.

— Bravo, Belmonte. Je savais que tu tiendrais parole. Ça a été dur ?

— C'est sans importance. Maintenant, à vous de remplir votre part du contrat.

— Dès que j'aurai les objets sur mon bureau.

Je laissai un peu de monnaie sur le comptoir et sortis du bar en boitant. C'était l'été, la ville était triste, et pourtant nul nuage ne s'interposait entre les hommes et le ciel, nul oiseau noir ne planait sur ma tête, et je traversai la rue en me demandant, Veronica mon amour, en me demandant pourquoi nous avons si peur de regarder la vie en face, nous qui avons vu les reflets d'or de la mort.

Hambourg, 1993 – Paris, 1994.

Table

IMPRESSION : **Bussière Camedan Imprimeries**
à Saint-Amand (Cher) (11-97)
Dépôt légal : avril 1996. N° 25735-4 (4/1179)

Collection Points